인봉 조남선 시집

쇠똥 밭에 꽃이 피고 나비가 나네

차례

가을 어머니

마당 전 뒷동산에
이불 홑청 펼쳐놓고
토닥토닥 부지깽이
깨 털이 하는 소리

덜 영근 깻단은 하나 둘 석 단
엇걸어 밤이슬 다시 맞히네
가을 낮 따가운 햇볕은
수줍은 속내를 보이라며

자꾸만 짓궂게 보채대면
하얀 속 살며시 내 보이네
해질녘 토닥토닥 깨 터는 소리
그렇게 가을을 거두시던

어머니 당신이 그립습니다.

거꾸로 가는 시계

찰칵찰칵 시계 소리 들린다
고물장수의 가위질 소리 들린다
시계 소리는 정녕 미래로 갈 텐데

고장 난 시계 바늘이 거꾸로 돌고 있다
하– 세상 험악하니, 옛날로 가고픈가
엿장수 맘대로 그 시절로 가고픈가

고장 난 시계처럼 갈 수만 있다면
찰칵찰칵 거꾸로 가고 싶다
아득한 옛날 그 먼 날로.....

즐거운 시간 만들어 봅시다.

귀밑머리 희끗희끗, 이마엔 주름살 많아도 아, 옛날이
여, 그 시절 소꿉동무 친구들이여!
지금 우리는 그래도 人生의 黃金期를 맞고 있지 않는가?

공기놀이, 고무줄 잘하던 친구, 오재미, 딱지치기, 다마
(구슬)치기, 제기차기 잘하던 친구, 썰매타기, 자치기,
땅따먹기, 말 타기, 사방치기, 연 날리기, 팽이치기, 새
총 만들어 참새잡기, 토끼몰이, 굴렁쇠 잘 굴리는 친구,
눈싸움, 술래잡기, 고드름 따먹고 썰매타기, 논에서 찜
뽕놀이,

정월엔 윷놀이, 널뛰기, 보름날엔 더위 팔고, 쥐불놀
이 하며 벌판을 내닫던 친구들, 여자 친구네 울타리를
지나며 이름 부르고 도망치던 친구들, 메뚜기, 개구리
잡던 성남이, 떡메로 물고기 잡기, 삘기 뽑아 먹기, 메
캐 먹다가 논 방죽 무너뜨리고, 오디 따먹고 칡 캐 먹
던 친구들,

버찌 따먹기, 수수 깜부기 먹고 깜둥이 된 얼굴, 불장
난 하다가 남의 산소 홀라당 태워 놓고 여물 갖다 뿌려
놓던 개구쟁이 친구들....

고향 친구들 그리워라. 지금은 어디서 무얼 하며, 할
아버지 할머니 되었을까? 歲月은 잊었어도 그때 그 시
절 소꿉친구들을 잊을쏜가?

우리 모두 설렘 속에 만날 그날을 기다리며
속세에 찌든 세상사 잠시 놓아두고 그때로 돌아가 친
구들이여,
우리 한번 멋들어지게 즐거운 시간 만들어 봅시다.

때 : 2001년 11월 10일 (토) 저녁 6시
곳 : 초원 갈비집
회비 : 2만 원
연락처 : 고O순 011------
김O자 서O난 조O선 황O출

* 위의 글은 퇴뫼산의 정기를 받고 자란 개구쟁이 친구들이 단기
  4282년(서기 1959년) 국민학교(초등학교)를 졸업하고 42년 만에
  처음 만나기 위해 소집 안내 글을 추억 삼아 소개해 봅니다.

즐거운 시간 만들어 봅시다.

거기가 그곳일세

天地가 맞닿은 것처럼 보이는
그곳에도 사람이 살고 있었네
역시 흙을 파서 땅을 일구고
나무를 베어 연기를 내니
사람 사는 모습, 그 무엇이 다르랴

닭이 울고 다람쥐가 한가로우니 어울려
그 속에 무엇이 급하고 쫓길 것인가
하늘이 가까우니 구름은 손에 잡힐 듯
두둥실 해와 달님 벗을 삼아
유유자적하더이다.

만 리에서 소식을 전해오니
그 소식이 무슨 소식인가
잠을 깨어 돌아누우니 이미 천지에 들어있네
더하여 얻을 것이 무엇인가

淸風明月에 새소리 물소리
거기가 바로 그곳일 세.

아름다운 裸木

애지중지 나의 분신 푸른 잎
비바람 땡볕에도 능(能)히 버티더니
어느 날 모르게 푸르던 잎 풀기를 잃고
웬일일까 안색이 썩 좋지 않더니만

갈 때를 알았는가, 대견하기도 하구나
부는 바람에 살며시 이별을 고하네
뉘의 탓이라며 투정 한 번 하지 않고
비명도 한 번 없이 허공(虛空)을 낙하하네

금지옥엽 나의 분신 단풍잎
모두들 떠나가고 혼자서 비를 맞고 있네
감추는 것 하나 없이 홀딱 다 보여주니
촉촉이 젖은 나목(裸木)은 볼수록 아름답구나.

짐 내려놓으면!

짐을 내려놓으면 편안할 것을
짐이라, 그것이 무엇인가?
과욕이 그것이요
미움과 시기가 그것이요
지각없는 무명이 그것이라

도(道) 한다고 길바닥에
가부좌를 틀고 앉아본들
근본 바탕이 헐레벌떡이라
삼천 겁(三千劫)이 지나간들
무슨 영험이 있으랴.

찰나에 번쩍 뜨면
심 봉사가 천지를 얻은 양
가고 오고 앉고 서고
자고 깨고 먹고 싸고
보고 듣고 잠을 자니

석가모니인들 예수인들
그리 않고 별 수가 있더이까
눈깔을 내리깔고 무얼 찾아
쑤 봉사(장님) 짓거린가?

에구 야, 망측해라
덕돌이여, 마당쇠여
발밑에 낭떠러지
헛발이나 조심하소
바른 씨앗 심보에 뿌려두면
길바닥 신세는 면하리오.

쇠똥 밭에 꽃이 피고 나비가 나네

먼 산에 연기가 치솟으니 산불이 났음이요
울타리 너머로 쇠뿔이 보이니 황소가 있음이라
들쥐가 산을 치달으니 해일(海溢)을 두려워함이런가.

죽은 듯 천년 고목에서 새순이 나오거늘
사람아, 죽는다고 죽었다고 하지 마라
네가 한 짓이 무엇인고?

논밭에 뿌린 종자(種子)만 새 생명이 아니더라
네가 모르고 또한 몰래 한 짓이, 내일이면
땅속에서 움이 나오듯이 솟아 나오나니
그게 어디 이름 지어져 있지가 않더이다

남쪽에서 부는 소식 남풍이라
천둥 번개 먹구름에 가던 길을 재촉하지 아니 하니
미련한 멍텅구리야, 눈꺼풀을 들지 못하고
백년 가죽이 스러질 때 너의 고향은 어디인고?

지옥도 극락도 예약이 만원(滿員)이라
웃돈 주고, 용을 써도 하도 처먹어
비만증을 왼눈 한 번 거들떠보지도 않는다네
천방지방 헤매다가 魂飛魄散하여 떨어지니
그곳이 어디인고?

인과(因果)를 무시하고 탐욕만 부리더니 중생아,
쇠똥 밭에서 꽃이 피고 나비가 나는 것을 이제야 알겠
는가?
서녘 하늘 둥근 달이 수양버들가지에 걸려 연못 속에
빠졌구나
쇠똥 밭에서도 꽃이 피고 나비가 나네

봄은 풀 끝에 와 있는데

푸드득 꿩 한 마리 이내 날아가고
모처럼 따스한 볕을 따라 퇴뫼골에 올라보니
어느새 아지랑이가 저 멀리서 손짓을 하네
아물아물 가물가물 보이는 듯 안 잡히고
봄을 캐는지 나물을 캐는지
아낙들의 손놀림은 재기도 하여라

그때는 괜스레 휘파람만 불었었지
서로가 도도해서 마주침마저 없었건만
길모퉁이 지나면서 아쉬움에 인기척하고
오늘처럼 청명한 날 버들피리 불었었지
종다래끼 허리에 차고 호미 자루면 足하던
퇴메골에 여전히 봄은 왔는데...

퇴뫼골 영지동 도련님은 매정도 하여라
우물 아래 빨래터엔 일없이 갔었던가
손끝을 호호불면서 반나절을 보냈었지
맹추야, 이제야 왜 그런 말을 하는 거냐
풀 끝에 봄이 왔으니 얼음장 녹아내리듯
가슴의 웅어리도 함께 흘러 출렁이누나.

오디

해마다 논 가운데
푸른 잎 보이더니
연분홍 어느새
검붉은 열매로-

까치도 콕콕 참새도 콕콕
짓궂은 동네 꼬마들
입술 보고 마주 웃네

임자 없는 오디는
해마다 있어 좋아라.

경칩에 깨구리 왈(曰)!

요, 잡것이 언감생심 내 집을 범해
내 선조님들도 이 위에 계시는디
아들놈도 아닌 것이 울타리를 친다구?

어찌하여 인기척도 없이 고로콤시리
무례허냐 내 말은 고런 말이랑께
죽은 시늉 허면 내 모를 줄 아는감?

한때는 나도 너네 마당 전에서
발끝에 채이면서도 모른 척했었지만
네눔 신세가 별수도 없슴시롱?

기왕에 찾아왔승게 달게 자거래이
그래도 내는 서너 달을 죽은 시늉 끄테
길게 하품 한 번이면 일어나는디!

아, 우찌 된 거냐 말이다 들어오더니 영영
내 집에 오더니 쪽도 못 쓰슴시롱

어이구 네 눔들이 별수가 있간?

가엽슨 것들 인간아 사람아
그래도 내 집에 어렵게 오신 客들이니
돌장승 말문 터질 때까정 편안히 모시리다.

까불지덜 마시라 고런 말잉게로
알아서덜 혀, 내느 귀띔을 했승게
쌈박질허던 눔들 後事를 생각혀란 말여

쉬운 말쌈마저 흘려들으면 낭중엔
크게 대들보가 무너지나니라
눈 밝은 者는 금방 옷깃을 여미지만

아둔한 者여, 깨구리 하품허는 경칩에
깨구리 말쌈을 경청들 허란 말씸일세
이눔들, 천방지방 어디로 가는겨?

경칩에 깨구리 왈(曰)!

미쳐라, 미치거라

미쳐라, 미치거라 미쳐야 한다
미치지 않고서 어떻게 성(盛)할 수가 있느냐
미쳐라, 미치거라 바로 네가 미쳐야 한다
미치지 않고서야 어떻게 곱사등이춤을 추겠느냐
오늘은 미쳐야 춤을 춘다 덩실덩실 어깨춤을

북데기를 등짝에 쑤셔 박고 미쳐라 미쳐 보거라
마당쇠 곱사등이춤을 추겠느냐? 추어보겠느냐?
실성을 하지 않고서는 뜸물 한 잔 켜지 못하리
미쳐라, 미치거라 미치지 않고서는 성에 차지 않으리
그래 미쳐야 할 수 있다 숯검뎅이를 바르고서

수수깡 안경 쓰고 실눈으로 세상을 보겠느냐
마당쇠는 마당쇠가 아니네, 실성하지 않았네
미쳐라, 미치거라 우리 모두 미쳐야 한다
미치지 않고서야 어떻게 새경을 바라겠소
미치지 않고서는 아무 것도 성(盛)할 수가 없다네.

다리 위에서

다리 위에서 서성거린다 어디로 가야 하나
해는 서산에 떨어지고 길게 드리워진 세월 자락에
짊어진 인생 보따리를 내동댕이쳐 놓고
웃음 반 한숨 반 어느 때는 흥타령을 대신하며
여전히 다리 위에서 이정표를 찾는다

비구름 바뀌고 눈바람 거셀 적에도
다리 위엔 언제나 건너가는 풍경일 뿐
다리 위에선 언제나 喜悲가 엇갈리지만
아무도 이 다리를 탓하고 나무라지 않는다
저물어 가는 人生을 아쉬워할 뿐!

어제와 내일을 잇는 '오늘'이란 다리 위에서
나는 무엇이며, 당신의 모습은 어떠한가?
오고 가는 길, 모를 뿐 모두들 다리를 건넌다
日月 光風이 먹구름을 희롱해 대지를 적시네

'오늘'이란 다리 위에서 太陽을 바라보네.

悟道

함박눈이 내린다 한들
이내 근본으로 돌아가
본래의 본분을 분명히 하네

잠깐 다가온 경계에
지나치게 호들갑을 떨었었지

남의 곡간 넘나들며
안팎에서 얻었다고 하나

어찌 말과 글이 적중(的中)하랴

본디 이치를 깨달으면
너털웃음 그뿐일세

그래서 돌장승이 말할 때
나도 그 말 하리라.

퇴묏골 처녀들

亡種이라　보리타작
마늘캐고　감자캐고
앵두같은　처녀입술
모내기에　정신없네
그시절에　사모하던
퇴뫼골의　처녀들은
할망구가　되어서야
죽자사자　거침없네
이제서야　고백하니
야속한건　세월이라
마음이야　청춘인데
가는길이　어드멘고.

어머님의 사랑은!

얼마나 고대하셨을까 군대 간 막내아들
섣달그믐께 조청 고아 놓으시고
요강만한 항아리에 고이 밀봉하였다가
여름엔 휴가 온다는 막내아들 기다리며
고된 농사일을 힘들다 않으시고

7월 장마철에 휴가 얻어 귀향하니
어머님은 그 밤으로 인절미를 빚으셨네
조청 단지를 열어보니
상단엔 곰팡이가 파랗게 슬어있네

놋숟가락으로 조심조심 걷어내어
큰 종지에 국자로 듬뿍 퍼 주시며
김칫국물 떠먹으며 천천히 꼭꼭
씹어 먹으라고 하시던 어머님!

마흔 여섯에 출산을 하셔서
내 나이 마흔 여덟이니
어머님은 구십사 세가 되셨네요.

河海같은 어머님의 사랑과 은혜를
흰머리 날리도록 보답 한 번 못하오니
客地 생활 막내아들
불효막심 용서하옵소서.

평생을 그 정성으로 살아오신 어머님!
이제는 그날들의 기억도 가물가물
막내 자식 며느리 손녀 손자도.....
휑한 눈빛으로 어렴프시 알아는 보시는지!

조석으로 촛불 켜고 향(香) 사루어
어머님의 만수무강을 비옵니다.

- 1994. 6. 24 불초자 막내 남선

오므드 수랑은

이런 사과를 보셨나요

이른 아침 자욱한 안개 속에
한 줄기 밝은 햇살이 눈부시다
밤새도록 이슬 먹고 저렇게 빨개졌나
오색영롱한 이슬방울 송글송글 맺혀있네

요렇게 싱그럽고 아름다운
이런 사과를 보셨나요, 빨간 사과를
그 빨간 옷은 숫처녀의 수줍음인가
타오르는 정열인가

그대의 모습 보노라면 빨간 처녀 같은
어느샌가 입술 끝에 살포시
눈을 감고 입술을 포갠다

짜릿한 달콤함에 취해선
마냥 그대로이고 싶어라
지그시 꼬—옥, 깨물고 싶은
빨—간 사과의 입술
그대는 이슬 먹은 빨간색 사과라네.

쇳소릴 들으셨나요

그윽이 먼 옛적에
성당과 교회의 종소리를 들어 보셨나요
범종과 풍경의 쇳소리를 들어 보셨나요

낭랑한 쇳소리에 손 모아 기도하고
행복으로 알아질 때
덩실덩실 춤을 추었지요

가던 길 갈 뿐인데
쇳소리 구성짐은
어인 길손의 넋두리인가?

누구라 막을 손가 그 길을
쇳소리 들을 적에
쫑긋 한 번 귀를 세울 뿐

묻지 마시게 내 가는 길
그대도 나를 따르시게
그리고 흔쾌히 쇳소릴 들으시게.

이눔아!

그 육시랄 눔이 언제 靈芝洞(영지동) 논 방죽에 쪼그려 앉아 꼴 한 짐을 베어보길 한 눔이더냐?

네 눔이,
우물이 있으니 우물을 한 번 쳐보길 한 눔이길 한가?
벼 타작을 하니 볏섬 한 번 둘러메 힘자랑을 한 번 해보길 한 눔이길 한가?
농번기에 쟁기질 써래질을 한 번 해보길 한 눔이길 한가?
가래질 할 적에 가래 장 추에 턱주가리를 맞아 그 맛을 알기나 한 눔이길 한가?
오뉴월 땡볕에 앉아서 조밭을 한 번 매보길 한 눔이길 한가?

아니면,
소나기 맞으며 콩밭을 한 번 매보길 한 눔이길 한가?
가뭄에 나가 용두레질을 한 번 해보길 한 눔이길 한가?
삼복더위에 땔 짐을 한 번 져보길 한 눔이길 한가?

이눔아!

똥지게를 지고 나가떨어져 보길 한 번 해보길 한 눔이길 한가?
동지섣달 삭풍 부는 야학 방에 군불을 한 번 지펴보길 한 눔이길 한가?

이눔아,
네 눔이, 마당질을 하니 맞도리깨질을 한 번 해보길 한 눔이길 한가?
지붕 위에 박을 한 번 타보길 한 눔이길 한가?
외양간에 두엄을 한 번 쳐보길 한 눔이길 한가?
새끼줄을 꼬아서 가랫줄을 만들어 본 일이 있기를 한 눔이길 한가?
천둥 번개에 비를 맞고 꼴짐의 멜빵끈이 끊어진 채 소를 한 번 몰아본 일이 있기를 한 눔이길 한가?

이눔아,
네 눔이, 아래 웃집 마당을 쓸다가 동전닢이라도 한 번 주워본 일이 있기를 한 눔이길 한가?
도랑 치고 가재를 한 번 잡아보길 한 눔이길 한가?
느티나무 아래 밤새워 소쩍새 울음 들으며 물꼬에 물줄기를 잡아본 일이 있기를 한 눔인가?

장마 통에 발통으로 고기를 한 번 잡아보기를 한 눔이길
한가?
섶돌 치고 송사리에 새우 범벅 미꾸라지를 한 번 잡아보
길 한 눔이길 한가? 횃불 들고 왕숙천에서 밤고기를 한
번 잡아보기를 한 눔이길 한가?

이눔아,
네 눔이, 수수 빗자루 싸리 빗자루를 한 번 엮어보기를
한 눔이길 한가? 여물을 써느라고 작두를 한 번 밟아 보
기를 한 눔이길 한가?
삼태기로 아궁이에 재를 한 번 치워보길 한 눔이길 한가?
마차 바퀴에 타마구 칠을 한 번 발라보길 한 눔이길 한가?
댓돌 밑 강아지가 헛발질하는 걸 한 번 보기를 한 눔이
길 한가?

이눔아,
네 눔이 그럼, 지붕 위에 올라가 애호박을 딸까요, 늙은
호박을 딸까요 한 번 물어보길 한 눔이길 한가?
낟가리를 쌓고 미끄럼을 타고 한 번 내려와 보길 한 눔
이길 한가?
밤이슬 맞으며 봇도랑에서 게를 한 번 잡아본 추억이 있

기를 한 눔이길 한가? 이불 홑청 깔아놓고 깨 털이 하시
던 할머니 모습을 한 번 보기를 한 눔이길 한가?

이눔아,
네 눔이 그럼, 암탉이 수탉을 물어 비트는 꼬락서니를
한 번 글에서라도 읽어본 적이 있기를 한 눔이길 한가?
참새가 쭉정벼를 까먹는 소리를 한 번 들어보기를 한 눔
이길 한가?
씨앗 틀로 목화씨를 한 번 빼본 일이 있기를 한 눔이길
한가?
참나무 베어다가 왕겨 불에 숯을 한 번 궈본 일이 있기
를 한 눔이길 한가? 쇠죽 끓인 아궁이에 고구마를 한 번
구어본 일이 있기를 한 눔이길 한가?
한밤중 등잔불 밑에서 신작로를 졸듯이 달리는 트럭 소
리를 들어본 일이 있기를 한 눔인가?

이눔아,
네 눔이 아지랑이 들판에서 삘기를 뽑아 씹어보길 한 번
해본 눔이길 한가? 논 방죽 무너뜨리며 메를 한 번 캐
먹어본 일이 있기를 한 눔이길 한가? 목화밭 길을 거닐
다가 다래를 한 번 따먹어본 일이 있기를 한 눔인가?

퇴뫼산에 기어올라 칡을 한 번 캐보길 한 눔이길 한가?
황금 벌판을 달리며 메뚜기를 한 번 잡아본 일이 있기를
한 눔이길 한가?
질겅질겅 옥수숫대 단맛으로 허기를 한 번 메워보길 한
눔이길 한가?
김장밭을 기웃거리며 무의 미끈한 裸身(나신)을 한 번
느껴보기를 해본 눔이길 한가?

이눔아,
네 눔이 밤하늘 별이 보이는 가설극장에서 영화를 한 번
보기를 해본 눔이길 한가?
눈 쌓인 초가집 추녀를 쑤셔 참새를 한 번 잡아보길 한
눔이길 한가?
뒷동산 조상님 산소에 눈을 한 번 쓸어본 일이 있기를
한 눔이길 한가?
배불리 먹은 소의 되새김질 밤 풍경 소리를 한 번 들어
보길 해본 눔이길 한가?
큰물에 나가 보(洑)를 치는 울력에 울력꾼 노릇을 한 번
해보길 한 눔이길 한가? 청량리에서 영지동까지 이슬
맞으며 밤새껏 걸어 첫닭이 우는 소리를 들어본 일이 있
기를 한 눔인가?

털털거리는 첫차를 타고 코스모스 싱그러운 길 통학을
해보긴 한 눔이긴 한가?

이눔아,
네 눔이 아는 건 2원 50전짜리 전차표와 기동차는 잘 알
것이리라.
땔감을 동을 지어 마차를 끌고 문안엘 들어서본 일이 있
기를 한 눔이긴 한가?
문밖 청량리엔 "신도극장"이 있었다는 걸 알기나 하는
눔인가?
태평통길 황금정길이 네 눔의 혼(魂)길인 것을 알기나
하는 눔이긴 한가?
연탄불에 아랫목이 시커멓게 탔던 기억을 하기나 하는
눔이긴 한가?
날려버린 종갓집 논바닥 저수지에서 스케이팅을 하며
폼 잡던 기억이 있기나 한 눔이긴 한가?

이눔아,
네 눔이 해보고 자랑할 무엇이 있기는 한 눔이기는 하더
냐? 말해 보거라. 이눔아.
어째서 새 까먹는 소릴 하는 눔이라고 하는 줄을 알기나

하는 눔이더냐? 이눔아,

어떤 눔을 배냇병신이라고 하는 줄을 알기나 하는 눔이
더냐? 이눔아,

어떤 눔을 보고 후레자식이라고 하는 줄을 알기나 하는
눔이더냐? 이눔아.

지눔이 해오고 지금 하는 짓이 무슨 짓인 줄이나 알기나
하는 눔이더냐? 이눔아.

이글거리던 태양이 서산에 걸렸구나, 이제 어디로 가려
느냐? 이눔아.

---

* 靈芝洞(영지동): 경기도 남양주시 진접읍 내곡리를 부르던 옛이름
  이 "영지동"이며, "풍양"이라고도 함. 영지동을 에워싼 산의 이름은
  "퇴뫼산"이며 마주 건너엔 고즈넉한 천마산, 일명 독정산(獨井山)
  이 자리하고 千年 古刹이며 전통사찰 "見聖庵"이 자리하고 있다.

* 王宿川(왕숙천): 경기도 포천시 · 남양주시 · 구리시를 남류해 한강
  에 흘러드는 강. 한강의 제1지류로 길이는 38.5㎞이다. 포천군 내
  촌면 신팔리 수원산 동쪽 계곡에서 발원해 남남서쪽으로 흘러 남
  양주시 진접읍을 지나, 진건면과 퇴계원면의 경계를 따라 흐른다.

水蓮같이 살고파라

진흙탕 물속에서도 그토록
아름다운 꽃을 피울 줄 아는 너는
우리 인간들을 향해 얼마나 흉을 보겠니

그런데
그 사실을 알고 사는 인간은 과연 몇이나 될까
널 보기가 심히 면구스럽구나

줄줄이 나라님도 못된 짓으로
너만 더욱 중후(重厚)해지는구나
蓮아, 水蓮님아!

그 고결함에 오늘도 시인은 읊조린다

'나도 진정 너와 같이 살고 싶다.'고......

山寺의 풍경소리

땡그렁, 땡그렁~
千年의 소리가 걸려있네
산사(山寺)의 추녀 끝
풍경소리 청아해라
벗하자며 날아드는
산새가 귀엽구나

법당 안과 밖의 일이
다를 리 없건마는
숨소리 가다듬고
그 한 말씀 새기려니
새소리 바람 소리에
귀만 쫑긋하더이다

도인의 가는 길이
따로 이(理) 있던가
가는 길도
오던 길처럼 가는 것을!
조사, 성인 오간 길도
그러그러하여라

꼿꼿하기는
한겨울에 대쪽 같구나
엊저녁 풍경소리
무엇이 다르던가?
죽는 줄을 알면서도
숟가락을 쳐드네.

동장군(冬將軍)

冬將軍이
화가 잔뜩 난 모양입니다
모두들
이상기온 현상이라고들 말합니다
세계인들은 수군거립니다
누가 무슨 잘못을 어떻게 했길래
말도 하지 않고
화만 잔뜩 내고 있습니다

엊그제 새벽녘엔
여기저기 눈 폭탄을 때렸습니다
또 어디서는
해일(海溢)로
물벼락을 치더니
땅덩어리가 뒤집혔답니다

사람만 죽었을까요?
아비규환(阿鼻叫喚)이
따로 없지요
모두들 태연해합니다
난, 아냐! 라면서
눈을 돌립니다 그러나...

견성암(見聖庵) 가는 길

감은 머리 참빗으로 아주까리기름 발라
쪽 지어 곱게 빗어 비녀 꽂아 단장하고
동트는 새벽길 논두렁 밭두렁에
밤이슬 잠 깨우니 치맛자락 젖어드네

'見聖庵 대웅전 부처님 前에 갈 때는 정성스레 가야한
다.'시며
供養米 한 말(斗)을 머리에 이시고는
깊고 높아 험한 산길을 쉬지도 않으시고
精誠으로 가시었네

휘휘 돌아 골짜기 물소리, 목탁소리 아련할 제
두 손 모아 合掌하며
나무관세음보살, 나무관세음보살, 나무관세음보
살....!!!
치맛자락 붙잡고 말없이 따라하던 어린 나

치맛자락 바짓가랑이는 어느새 다 마르고
땀으로 등줄기는 흠뻑 젖었었지, 드디어
見聖庵 도량(道場)에 이르러 合掌 三拜를 한다

大雄殿 앞 사계절 돌 틈에서 솟아나는 藥水 한 바가지
는
俗世의 찌든 때를 말끔히 씻어 내리는 듯
예가 바로 極樂淨土가 아니던가?
나무관세음보살마하살!

생률(生栗)치기

나 아주 어렸을 때, 선친께서도 아직은 젊으셨을 적에
정월 초하루 설 차례 상과 한식, 추석 차례 상 그리고
시향(時享) 때
올리는 제수(祭需) 중의 밤(栗)은 꼭 생률을 올렸는데
그때부터 배워 온 '생률 치기'는 지금도 솜씨가 여전하다.

유가(儒家)에서는 기제사(忌祭祀) 때 보통 숙률(熟栗)
을 쓴다.
요즘엔 밤을 까는 기구가 있는 것도 잘 알고 있다. 그런
데 나는 옛날 배운 솜씨 그대로 칼을 갈아 생률을 친다.
창칼이라고 부르는 작은 칼이 있다. 보기 좋은 칼들도
많지만 대장간에서 날을 세워 온 칼을 숫돌에 갈아 생
률을 치곤했다.
더 많은 정성이 담길 것이라 생각하기 때문이었을 것
이다.

올 추석 차례 상에도 잘 쳐진 생률을 진설(陳設)하면서,
대추는 임금이요, 밤은 삼정승(三政丞)을 가리킨다고
배웠기에, 으뜸 과일인 대추와 밤에 대해 음미하고 가
르치니, 잊혀져가는 미풍양속, 시류에 맞춰 살려보면
어떠하랴.
생률을 치면서 옛적 일과 먼 훗일을 떠올려 본다.
원컨대 더도 말고 덜도 말고 늘 한가위만 같으라고......

생률(生栗)치기

사랑은 저 너머에

당신의 사랑을 가슴 깊이 새겼습니다
오뉴월 땡볕 내리쬐는 조밭에서
당신의 사랑을 아주, 아주 깊은 곳에 새겼습니다

베적삼 땀에 젖어 뽀얀 속살 비추이고
아홉 살 되도록 당신의 가슴을 파고든,
엄마라곤 부른 적이 없는 나의 어머니, 어머니!
아버지 어머닌 익숙해도 아빠, 엄마는 어색해라

아침에 이고 온 싸리광주리는 허기를 부르고
저만치 물가에 멱 감는 또래들 왁자지껄 부러워라
조도 풀 같고, 풀도 조 같은 걸 솎아 매면서...

고향집 대청마루에는 지금도 당신이 계시어
반들반들 유리처럼 조석(朝夕)으로 쓸고 닦으시네
밥솥 뜸 들일 제 걸레질, 쓰레질 한 시라도 멈출세라
언제나 저 너머엔 당신의 사랑이 보입니다
그런 당신의 모습이 보입니다

어머니, 어머니, 나의 어머니! 사랑합니다.

* 이 詩는 필자가 아주 어렸을 적에 어머니를 쫓아서 조밭을 맬 때의
회상입니다. 당신이 마흔 여섯일 때 필자를 막내로 낳으시고, 101
세를 일기로 2001년에 작고하셨으니 필자의 나이 쉰다섯이라. 애
지중지 막내 사랑 지극하셨음을 모를 리 없건마는 객지에서 효도
한 번 못한 불초자(不肖子)는 당신을 향한 생각 생각에 눈물이 앞
을 가리웁니다. 그러나, 당신의 사랑은 언제나 저 너머에 있음을
알고 있습니다.

사랑은 저 너머에

東山이 해를 깨우니!

東山이 해를 깨워 일으키니 天地가 광명일세
바람 구름이 조화를 부려 꽃나비가 춤을 추네
두 눈 지긋이 바라보니 그 재미가 한창이라
위에서 아래로 또다시 치솟고 번갈아 나르더니
西山이 해를 삼켜 어둠이 온천지에라

날짐승 길짐승 숲속 굴속으로 저마다 집을 찾네
길 떠난 나그네 가는 곳은 어디메인가
단잠 한 번 늘어지게 잤으니, 여보시게!
東山 너머에 꿈꾸는 해를 흔들어 깨우시게
서둘러 일어나면 西山에서 맞이하리

동서로 펼치니 상하 남북이 한 길이네.

허전한 사랑

나에게 사랑하는
임이 있었네
날마다 잠 못 이루고
어느덧
사랑에 중병이 들었었지

오늘도
허전한 마음에
숨죽이고
창밖을 기우리니
기다리던 임은
보고픈 임은
한 점 소식 없고

텅 빈 내 가슴엔
소리 없이 봄비만 내리는가
사랑이 이토록 아린 줄을
몹쓸 사랑 야속한 사람
아니야, 그래도 행복하여라.

세월이 말하기를!

맑고 고운 가을 하늘
높고 또 높은데
문득 歲月이 말을 하네
날 보고 無心타 하지만
코끝을 스치며 일러주네
더워도 덥다 말고
추워도 춥다 마시게

요사채 툇마루에
잠깐 든 햇살 보며
歲月을 불렀더니
짝지은 짱아 한 쌍이
面鏡처럼 보여주네.
세월은 유심한데
무심한 건 迷或일 뿐!

먼 훗날

산과 강에 초목이 어울리네
벌, 나비, 꽃과 새 더욱 좋아라
가는 길 멀다고 투덜대며 왔건만!
이내 당도하여 코앞이라
고개 들고, 휴~ 한숨 내쉴 때
빨간 단풍 한 닢이 춤을 추네

높고 낮은 험한 길, 그 좋은 길을
괜시리 나무라며 허둥지둥 했었지
새벽이슬 영롱할 제 노을을 볼 것을!
훗날, 훗날 먼 훗날을 노래했지만
벌, 나비 사라지고 둥지는 비었노라
오늘이 노래하던 먼 훗날이라네.

사랑아!

사랑아!
대체 너의 이름은 누가 지어줬니?
사랑아!
도대체 너는 어떻게 생겼길래
그렇게 도도하단 말이냐

사랑아!
거울 앞에 서보렴 네가 보고 싶구나
사랑아, 사랑아 이름을 불러도
너는 대답마저 없구나

사랑아!
너는 말도 못하면서 어떻게
사랑을 하니?

수은하

사랑아!
너는 어느 때 사랑을 하니?
내게 가르쳐주면 안 되겠니?

사랑아!
너의 이름 기막히게 좋구나
사랑아!
내 죽도록 너를 사랑한다.

눈부신 사랑

당신의 눈빛이 너무나 부셔요
바라볼 수가 없어요 너무 부셔서
가까이서는 마주할 수도 없어요

당신의 눈빛을 피해 먼발치서
숨죽여 당신을 훔쳐보곤 하지요
어쩌다 눈길 부딪히면
빨려 들어갈 듯한, 당신의 눈빛에서
한없는 사랑을 온 몸으로 느낍니다

아~~! 눈부신 사랑
뜨거운 가슴 타오르는 사랑의 열기

당신을 불러 손짓해 봅니다
아시나요, 당신은? 눈부신 사랑을~~
가까이 갈 수가 없어요, 너무 부셔서

사랑합니다, 눈부시도록 넘치는
당신을 사랑합니다, 아름다운 당신을!

차향(茶香) 맡는 女人

책상다리 가부좌 틀고
마주 앉은 女人이여,
반쯤 내리깐 까만 눈동자에
찻잔이 어리네

잔속에 드리운 눈동자
고운 입술은 더욱 예뻐라
받쳐 든 고운 손,
코끝에 살랑살랑 좁내 맡으며

음악에 취했나, 차香에 빠졌나
좁내음 풍겨온다
고운 손 흔들며
찻잔에 입술을 포갠다

빨간 예쁜 입술은
차만 마시나 말을 할 듯
기다려도 이내
차향(茶香) 맡는 女人이여!

057

마라톤 마니아의 죽음

어제의 일이다. 2010년 3월 21일(일) "동아마라톤" 중
에 쓰러져 다시는 일어서지 못한 채, 유명(幽明)을 달
리한 김○○친구의 죽음을 애도하며 빈소를 찾았다.
이보게, 친구 대체 이게 무슨 일인가? 누가 자네를 불
러 갔기에 대답이 없는가? 靑天霹靂(청천벽력)이로세.
아직은 자네가 그 자리에 사진(영정)을 올릴 때가 아니
지 않는가?
유가족의 오열 속에 울음바다가 된 빈소에는 향 내음
만 그윽할 뿐!
친구야, 불러도 대답이 없네그려.
자네는 친구들을 만나기만 하면 마라톤 얘기로 신이
나지 않았었나?
건강의 비법이라도 되는 양 말일세. 건강 전도사처
럼...
2Km, 5Km, 10Km, 하프코스 그리고 완주를 장담하
면서 말이지...
그런데 자네가 오늘 어찌된 일이란 말인가?

'우린 어떻게 살라고.' 애통해 하며 통곡하는 아내와 자식들의 소리를 자네는 듣는가? 이보게, 친구! 내일은 우리가 또 만나기로 약속한 날(동창회)이 아니던가? 자네 없는, 친구가 없는 텅 빈 자리에 술 한 잔 따른다 한들, 건네 오지 않을 친구의 빈 잔이 마냥 가슴만 찢을 것 같네.

잘 가게, 잘 가시게 친구! 솟구치는 눈물, 왜 이리 서러운가?

오늘 따라 함박눈이 오다가 진눈깨비로도 오고~~~

언젠가는 벗어 던질 껍데기를 자네는 용케도 벗어 던졌네.

이제 몸뚱이 애착을 버리고 홀가분하게 아주 편안하게 쉬시게나.

이승에 남은 가족들 그리고 친구와 인연 있는 모든 유정, 무정 존재하는 모두에게 큰 사랑의 은혜를 베푸시게, 우리 淨土에서 다시 만나세.

가는 사랑 잡으려도

밤은 깊어 적막한데 옛 사람 온다
휘~~ 바람 한 번 스치고 가면
떨구지 못한 거년(去年)의 인연
다시 새싹으로 돌아날 때 너는
목전(目前)에 나타나서 무너져
헝클어진 갈래의 타래들을
주섬주섬 안겨주며 살포시
여린 손길로 어루만져 주었지

고맙다 말을 할까 망설이다
돌아선 너의 뒷모습은 왜 그리
쓸쓸해 보이는지, 아프다 아파
사랑한다 할 걸, 미안하다 할 걸
저만치 가물가물 눈물에 어려
밤마다 가슴 저며 오는 가는 사랑
어이하여 밤이면 가려는가?
동이 터서 혹시나 내다보면

가는 사랑 잡으려도

언제나 반쯤 열린 쪽문으로
까치걸음 디밀고 들어설 듯
흠뻑 젖은 가슴엔 사랑이 잔다.

나, 사랑하다가

나, 사랑하다가
가슴 빵 터지면
그 통곡(痛哭)을 누가 안아주리
사랑의 터진 봇물을
막을 자(者) 있을까?

누가 아는가?
밀려오는 봇물을
보았는가, 누가?
한없이 용솟음치는
당신을 향한 사랑의 깊은 샘을

사랑합니다
사랑합니다
나 당신 곁으로 가는 날까지
감사 그리고
사랑합니다.

내 이름 부른다면!

날 사랑하는 이가 있어
이름, 석자를 다정히 부른다면
그리움은 햇살에 눈 녹듯
내 가녀린 사랑 부자 되겠네

먼발치 등 뒤에서 부른다면
멈칫 가던 길 멈추고서
나, 뒤를 돌아보리라

날 사랑하는 이가 있어
해질녘 어디선가에서 부른다면
나, 그리하리라

내 이름, 석자를 부른다면!

못자리 만들기

쟁기질로 논 갈아 엎어놓고
가뭄에 쌈싸우듯
도랑 물줄기 끌어대어
정강이쯤 물이 차면
이튿날 새벽같이
써레질로 덩이 풀고
고무래로 바닥을 고른 후에
맨손으로 엎드려
인분(人糞)과 재를 골고루
비비고 섞어서
모판(板)을 일구네
손과 발에서 그 냄새
열흘 보름 진동해도
사람아, 그 시절에
무슨 소리 했었던가?

청명 한식 지내면서
볍씨를 물에 띄웠다가
싹이 트면 다시
모판에 흩뿌려서
뿌리가 내려지면
조석(朝夕)으로
물갈이를 해주니
부모가 자식을 살피듯
정성으로 보살피네
거름 주고 피살이 때 되면
개구리도 맹꽁이도
소쩍새와 어우러져
밤을 지새우고
여기 또 한 사람이
풍년가를 부르네.

망월동 묘지에서

도청 앞을 지나 일행이 탄
버스는 휘휘 돌고 돌아서
터를 닦은 너른 주차장에
쏟아놓듯 내려 놓았다
떼거지로 몰려가 엄숙히 머리 숙여
합동으로 참배한 후
뒤돌아 먼 산 보니, 아니 저럴 수가
기가 막힌다 기가 막혀!

묘비마다 구구절절 한 맺힌 소리
울컥 울컥 울음이 복받쳐
차마 다 볼 수가 없구나
내려다보니 세 갈래 길인데
이제 어디로 가야만 하는가
어느 놈이 만든 길이냐
망월 묘지 가는 길을......
불타는 민초들의 함성이 들린다

영령들이시여, 편히 잠드소서!

앵두꽃

앵두꽃 하얗게 필 때면
그 옛날 그리워라
동네 앞 논둑길 가로 질러
단숨에 집으로 달려와
냉수에 밥 말아 후루룩 마시고
어느새 뒤꼍으로 발길을 돌린다

새빨갛게 농익은 앵두
주머니, 주머니 터져라, 쳐넣고
달려온 길 달음질쳐 학교엘 갔었지
옷에도 빨간 물 손바닥도 빨간색
씨까지 삼켜서 배불리 먹었던…
아— 입술은 어땠던가?

빨간 물감으로 마구 물들이던
그 옛날 그리워라.

소리, 향(香), 차(茶)법회

음악이 흐르고 침향(沈香)의 향이
인연을 따라 흐르고 흐른다
한 잔, 한 잔이 앞에 놓이면
"모두 합장(合掌)하세요."
주지 스님 일성(一聲)에
대중은 일제히 합장을 한다

"앞에 놓인 이 차(茶)는
오랜 세월 동안 하늘과 땅, 바람의 기운을 받아 수많은
이들의 땀 흘린 노력과 공덕에 의해 우리 앞에 놓이게
된 것입니다. 그 모든 인연과 공덕에 감사의 뜻을 표하
도록 하겠습니다. 감사히 마시겠습니다."
대중도 일제히 큰소리로 "감사히 마시겠습니다."

068

이 소리는 개화산(開花山) 개화사(開華寺)의
[소리 향(香) 차(茶) 법회]에서만 들을 수 있는
주지스님과 대중(大衆)의 소리이다

클래식이나 째즈 음악이 흐르고,
침향(沈香)이 인연의 불씨 되어
삼세(三世)의 불연(佛緣)을 맺어주네
차(茶)香에 취하고 침향에 노닐며
음악에 빠져보니 예가 거긴 것을!

아카시아 꽃

아카시아 꽃향기가
물씬 풍겨올 듯,
저만치 산허리엔
하~얀 입쌀의
뻥튀기가 뿌려졌네

소곤소곤 오는 비에
꽃잎인들 떨어지랴
햇빛 쨍하는 날
아카시아 꽃향기가
날아들겠지

내 집 마당 툇마루에
너울너울 나비랑
향 내음 듬뿍 안고
춤추며 함께 봄소식
전하려 안달이 났네.

山寺에서

비 갠 후
짙은 안개 자욱한데
뒷산 뻐꾸기
소리 한 번
청아(淸雅)하다

山寺에서
보고 듣는 재미가
어찌
뻐꾸기
소리뿐이던가?

다 보고 들으니
입가엔
미소(微笑)가
저절로
그날을 말해주네.

귀한 사람 갔는디

깜냥에는 벼슬아치나 했다며
꽤나 모가지를
곧추세우고 살았재이?
오늘 같은 그런 날이 있을 줄은
베적삼 입기 전엔
꿈에서도 없었는기라

그 망자 안하무인 경지라
오늘 같은 그런 날, 전(前)엔 응어리도
풀고 간다 카던디…
두어 차례 물음을 받고도
공업용 미싱으로
아귀를 박았능기라

072

'아저씨, 귀한 사람 갔는디
조문(弔問)은 다녀오셨소?'
'어르신은 다녀오셨는가벼?'
'아, 그란디 말씸여,
토깽이 놀다 간 곳에
사자(獅子) 가는 걸 보았소?'

* 오늘 같은 그런 날 : 이승을 등지고 떠나는 날, 죽는 날
* 베적삼 : 여기선 수의(壽衣) : 죽은 자를 염습할 때 입히는 옷
* 아귀 : 입, 주둥이를 더 천박하게 이르는 말

귀한 사람 갔는디

내가 무엇이기에

나, 이게 대체 무엇이기에
이리도 마음이 아픈 것일까
오히려 우는 당신, 당신보다 더
소리 없는 울음을 아시나요
눈물 없는 울음을 아시나요

내가 당신에게 무엇이기에
가슴 찢어지는 듯 아픔이
설워 우는 당신, 당신보다 더
도대체 내가 무엇이기에
아픈 가슴을 또 때려놓고

당신뿐인걸 나에겐 오직
그래도 아픈 가슴은 또 왜일까
당신에게 내가 무엇이기에
오히려 우는 당신, 당신보다 더
가슴엔 멍든 아픔만 남아있네.

퇴묏골에 가면

내 고향 퇴묏골은
영지동(靈芝洞)이다
풍양 벌판에 대풍이 들면
"農者天下之大本"(농자천하지대본)
농기(農旗)를 치켜드니,
벌판 한가운데서 황새 떼가 노니는 듯

장구, 피리, 꽹과리, 징, 나팔
덩실덩실 장딴지 높이 들어
얼씨구, 어~얼쑤 지화자, 좋~다
올 농사가 대풍(大豊)이로세
여보시게, 한 잔 더 드시게나
'안골 댁(宅), 아! 안주 좀 더 가져오시게.'

퇴묏골에 오늘도 밤꽃이 만개하니
올해에도 여전히 대풍년이 들겠네.

벼이삭이 팼네

하도 좋아서 그곳엘 함께 갔었지
장맛비가 말끔히 걷히고 나니
깊은 산골 안개가 뭉실뭉실 춤추고

물기 가득 품은 초록 논바닥엔
갓 팬 벼이삭이 파도 물결을 이루네
올해도 '만석골'에 큰 풍년이 들겠네

논두렁에 심은 콩도 한껏 무성해라
어서 익어 여문 햇콩 햅쌀, 푸성귀로
이내 인심 한 번 크게 쓰고 싶어라.

眞空 妙有

추녀에 주룩, 주룩
생기(生)인 물이 뚝, 뚝!
또~옥 똑, 떨어지네.

대구에는
사과나무가 있고

서울에는
사과장수가 있네!

참새는 날아가고
보이질 않네, 훠~어이!

애호박과 늙은 호박

퇴묏골 영지동 고향에는
누렇게 호박이 익어간다
산모퉁이 돌아 들어서면
탐스런 호박꽃 우산 밑에
수줍은 듯 몰래 숨어서
'무궁화 꽃이 피었습니다.'
숨바꼭질하며 쑥쑥 자라다가
연녹색 애호박으로 뽑혀
형수님 술래한테 들켰네
호박전, 호박 채, 볶음이로……

올 장마 통에 꼭꼭 숨었다가
벌판이 누렇거든 기척 안 해도
우리 형수님, 술래는 아신단다
상강(霜降)이 지나고 나면
그제야 첫서리가 온다더라
늙은 호박 속 득득 파내고
씨는 발리어 바싹 말리고
시월상달, 시루떡 고물에는
늙은 호박고지가 제격이라
호박고지 시루떡이 푸짐하겠네.

무엇인고?

고요히
앉아 보니

三界를
감싸고도

남던데...

삭정이에 꽃망울

삭정이 가지가 죽은 듯 보이더니
물오른 뒤, 바람에 흔들리고
어느새 꽃망울이 터졌구나

죽었다 한들 사람아 그것만이 아니더라,
깊은 잠 자고나면 인연 따라 생기려니
그리 알고 서러워 마라,

죽어서야 새 생명이 탄생하니
나고 죽음이 또한 한통속이 아니더냐
생(生)과 사(死)는 다를 것이 없어라

알아도 그대요, 몰라도 그대이니
그대와 나는 손바닥의 안팎이라
깨달아 쥐고 나면 모두가 분명한 것뿐.

모두가 분명한 것뿐, 억!

어느 장인(匠人)

깎고 자르고 밀고 문지르고, 비벼대고
35년 동안 해온 일이죠
통나무 토막만 있으면 그림이 나와요
끌과 망치
톱질, 대패질로 보낸 세월 동안
각종 탈, 인물, 오리, 장승의 숫자가 얼마인지
나는 모릅니다
그냥 좋아서 해요
지금도 이 짓을 하잖아요

나무요?
당연히 나무를 말려서 해야지요.
일하기 좋다고
생나무 깎아 놓으면 광화문 짝 나지요
관솔 기름을 빼야지요
손길 가는대로 장승도 나오고
탈도 나오고
오리도 나오고 예쁜 각시도 나옵니다

휜한 양반도 만들고
상놈들도 만들어 보이지요

어느 장인의 말이다.

행복한 만남

문학의 꿈을 품고
꽃을
피워보자면서
밤새껏 술을 마시고
줄담배를 피우던 그날들
文友들이여!

무슨 할 말들이 그렇게
많았기에
응어리 토해 낼
그 사연들을 지금은
모두들 뱉아놓았는가
어디에서

하얗게 서리가 깔리고
갈색 단풍잎
발길에 찢겨 구르던
어느 날 종로에서
우연히
행복한 만남을...

너, 가진 것!

너, 네가
가진 게 무엇이기에

그리도
촐랑, 촐랑거리느냐?

어디
내놓아 보거라

빈껍데기 가지고
한 세월을

그렇게
희롱하지 않았느냐?

가을 철쭉

따사로운 봄날에
어디에 숨었다가
짙푸른 잔잎사귄
뉘에게 주었더냐?

서릿발 드센 날
입동(立冬)인 오늘

누루 황(黃) 때깔로
너를 위해 모진
비바람 몰아쳐도
반겨줄 이 있어서

올곧은 한 송이로
활짝 피어났구나.

가을 山

가을 山
바라보니
울긋불긋
햇빛에
눈부시다

떼구름들
몰려와서
이제 막
햇빛을
가린다

떠가는
구름 뒤엔
가을 잎새
수줍어
빨개졌나.

詩人은 말한다

꿰뚫고 본다 한 時代를 시인이
헐벗고 힘든 사람이 많았단다
正義롭지 못한 꾼들도 많았더란다

암흑 같은 시대에도 인류 도덕은 있었지
죽지 않았다고 모두들 그렇게 알고 있다
詩人은 오직 그렇게 말한다

역사의 강물은 도도히 흐르고 있다
과거를 호되게 꾸짖어 탓하면서
오늘은 군색하게 변명을 한다네

내일은 그리 말라며 어르고 충고를 해보지만
正義의 칼이 오죽하면 부끄럽게도
不義에 대항해 부러진 적도 있었다오

분노의 함성이 天地를 흔들었다고
먼 먼 훗날에나 들을 말들을
오늘 당장에 詩人은 말한다.

* 2009. 국제문예 3, 4월 호에서

쌀을 일 때

아희야, 아는 가 그것을
바가지에 쌀을 일 때
어머니가 손끝으로 왜
물을 축여 튕기는지를

쭉정일 망정 버리기란
그래서 '一米七斤'인 걸
고픈 시절에 귀한 것을
툭툭 바가지를 치던 걸

어머니 손끝이 命줄인데
귀한 것을 잊고들 사니
아희야, 잊지를 말거라
그렇게 제일 소중한 걸.

無根樹(뿌리 없는 나무)

'그림자 없는 나무' 이야기는
무릎팍을 치며 들었건만
'뿌리 없는 나무' 소리는
강아지 헛발질 소리던가

아비 없는 子息(자식)이 있을라고?
하기야 후레자식이란 말이
있기는 있어!
씨앗자손이란 말도 있듯이...

분묘(墳墓)를 파묘하는 놈이
뿌리 없는 무근수(無根樹)라
無父無祖(무부무조) 패륜이면
대들보인들 성할 손가?

인두겁 쓰고는 아니할 짓을
根幹(근간)을 모르는 망나니
칠십 古稀(고희)에 천방지축이라
배냇짓에 실성까지 하였는가?

아서라, 두고 볼 일이로세...

따지고 보면

어리석은 사람은
하늘이 알고 땅이 다 아는 일을 모른다
어리석기에
세상이 다 아는 일을 혼자서만 모른다
현명한 사람은
보지 않고, 듣지 않아도 다 안다
온몸이 다 눈이고 귀이기 때문이다
세상이 다 아는 일이기에 그렇다

어리석은 사람은
분수를 몰라 멈출 줄을 모른다
계속 탐욕을 부리기 마련이다
항상 부족하고 불만이기 때문이다
눈을 떴으나 보질 못한다
귀가 있어도 듣지를 못한다
입이 있어도 벙어리일 뿐이다
욕심이 가득하여 빈틈이 없기 때문이다

온당한 욕심은 그냥 두어도 성취가 된다
그 도리를 알면 늘 편안하고 행복하다
온당한 욕심은 분수에 맞게 사는 것이다
모든 성인들도 그 이치를 깨닫고
여여(如如)하게 살았을 뿐이다.

그걸 보고 알아야지

산천이 짙푸를 적에
그걸 보고 알아야지
아침 해에 이슬이 영롱할 제
그걸 보고 알아야지

비구름 마구 몰아칠 때
그걸 보고 알아야지
울긋불긋 단풍 들 적에
그걸 보고 알아야지

천지에 눈비 쏟아질 때
그걸 보고 알아야지
우수수 낙엽 떨어질 적에
그걸 보고 알아야지

송아지가 음~매 울 때
그걸 보고 알아야지
서산 뉘엿뉘엿 해질 적에
그걸 보고 알아야지, 억!

저 종소리

저 종을 치는 사람 누구인가
울려 퍼지고 퍼져 그윽하니
소리 없는 가슴속 깊은 곳까지

귀 달린 중생들 숙세의 사연을
종소리에 실리고 또 울려 실어
하늘과 땅이 맞닿은 그곳까지

아~ 저 세상 임들을 만날 때
주고받는 소식이 행복이어라
하도 맑고 텅~ 빈 곳이라서

모양도 색깔도 말할 수가 없다네
걸림 또한 없으니 경계도 없다네
저 종소리 울려 퍼지는 그곳에

다시 종소리 커지며 넘쳐오네.

장사는 제가 해야

하늘이 북을 때리고
땅기운이 치솟을 때

온 세상을 뒤흔들던
고고(呱呱)의 소리는

아무렴 잘난 제 멋의
외침이 아니었던가?

해와 달이 번갈아서
비바람 몰아칠 때도

묵묵히 드넓은 세상을
나, 겁 없이 걸었노라

장사는 제가 해야기에
두려움 없이 걸었노라.

봄이 오는 소리

꽃소식도 실었을까
눈비 소식이 있네요

그렇게 그러다가
우리 곁에 오는 봄

빗속에 눈 속에
숨어서 오겠지요

구름 타고 바람 타고
어느 날 봄 오는 소리.

북한산 오르며

山길 오르고 오르면
구름도 잡힐 듯

여보게, 여보시오
쉬엄쉬엄 가시구려

하~

세월도 빠르거늘
걸음마저 재촉인가

새소리 물소리에다
별도 따고 달도 따고

북한산 오르는 길
쉬엄쉬엄 살펴가세.

꽃 풀과 봄

봄을 기다린 건
나만이 아니었네

찬 기운 속에서
풀꽃과 나무는

저렇게 봄을 먼저
손짓했나 보다

언 손을 내밀어
뾰족뾰족 쫑긋쫑긋.

봄날의 환희

이른 아침 양화교(楊花橋)길
반개(半開)이던 개나리 꽃망울

한낮에 따스한 해님 쫓아
열렬히 사랑을 했는가!

석양(夕陽)길엔 꽃망울이
샛노랗게 터져 만발(滿發)했네

심야(深夜)에 달님과는 또
무슨 사랑을 속삭일까?

봄날엔 이래저래 사랑 타령 뿐!
이 밤엔 나도 사랑에 농익으리.

할미꽃

품 안에 손자(孫子)
살리느라 할멈은
꼬부랑 몸뚱이 돼
얼어 숨을 거뒀네
해마다 무덤가엔
고개를, 떨군 채
꼬부랑 할미꽃은
작년에도 올해도
빨간 속내 보이면서
꼬부랑 할멈은
손자 보려 피었네

아는지 모르는지
연년이 그 손자는
할머니를 보겠지.

엄마가 되려는 딸

사랑하는 딸의 임신 소식에
왠지 모르게 눈물이 핑 돌며 그렇게 기쁘더라
부모의 마음은 모두 다 그런가 보다
사랑하는 나의 딸!
들리느냐 너의 분신(分身)
아기 심장의 박동 소리가
심하게 입덧을 할 때는
대신 할 수도 없이 그렇게
너무나 안쓰럽기만 했었는데
어느새 6개월!
제법 불룩해진 배의 모습이
예쁘고 장하고 사랑스럽기만 하구나
끙끙거리며 힘든 자세로 앉아서
배냇저고리, 손·발싸개며 장난감 등
가녀린 손으로 손수 짓는 걸 보면서
아비의 마음은 정말 흐뭇하고
과연 내 딸이구나, 하며 자랑스럽게 생각한다

한 땀 한 땀 정성을 다해 바느질하는
엄마의 마음을 아기도 다 알고 있겠지
아가야, 조금만 더 있으면 엄마를 보게 된단다
건강하게 무럭무럭 잘 자라거라
엄마가 되려는 딸의 사랑스런 모습을
훗날에 두고 보라고 사진을 찍는다.

반지꽃

따뜻한 봄날
비스듬한 뒷동산
양지바른 잔디밭에
보랏빛 꽃 이파리가
나풀나풀 반갑다며
고갯짓을 한다

얼어붙은 겨울 내내
땅속에서 견디고도
어쩌면 보랏빛 저리도
곱게 핀 반지꽃
반지꽃아, 너는 정녕
곱고도 모질구나.

104
반지꽃

어느 날

어젯밤 꿈에서이더니
꿈이 바로 생시이던가
생시에 임을 만나니
또 다른 꿈이던가
의심 한 번 혼돈이네

꿈속에서 야릇함이
눈앞에 임이로다.
반가운 마음에 임을 한번
살며시 껴안으니
인연 또한 묘연(杳然)하다.

임, 오시려나

안개 자욱한 開花山 자락에
아흔아홉 칸 사대부 집 담장인가
길게 목 내밀고 누굴 기다릴까
새벽부터 두 규수 까치발 하고서

보시시 해맑은 얼굴엔 녹색 댕기가
수줍은 듯 파르르 바람에 떨리고
안개 속 헤치고 오는 해님꾸러기
빨간 장미 두 송이 손짓을 하네

기다리는 임은 언제 오시려나
뉘엿뉘엿 석양(夕陽)에도 여전히
곱게 단장한 채 일편단심 그리네
별님 달님 떠오르니 더욱 고와라

마음씨 곱고 다정한 임들이여
발그레 상기된 그대들 얼굴 보려
안개구름 속에 몰래몰래 숨어서
차례차례 임을 마중하오리다.

돌 트럭

내 고향 영지동!
뒷동산엔 유유히
트럭 한 대가 서있다
어릴 적 산등선에
돌 트럭 타고 앉아
싸릿가지 핸들 삼아
벌판과 냇물 따라
저 넓은 세상으로
푸른 꿈을 키우던...

아, 내 고향 영지동!
뒷동산엔 지금도
돌 트럭 한 대가
옛 주인을 기다리며
여섯 번의 모진 풍상
강산이 변했어도
모질게 다 겪으며
돌 트럭 한 대는
여전히 달리고 있다.

보릿고개

보릿고개, 밀 타작
어쩌다가 들지만
목덜미 비지땀에
보리 수염, 밀 수염
속살로 파고들던!

도리깨질로 후려서
마당에 털어낸 후
우물물에 밀 일어
멍석에 펴 말리고
가마솥에 불 지피면

보리밥 익는 냄새가
허기를 잊게 했었던!
사카린, 이스트로
빵빵해진 밀가루 **빵**
팥고물이 이밥이라.

도심지 청사 광장에는
밀, 보리 화단을 꾸며
시체사람한테 선보이네
그 고개 넘어온 늙은이는
뒷짐 지고 멍하니 서있네.

사람 옆에 서고파

산 者든
죽은 者든

사람 옆에
서고 싶다

썩은 내
말고

사람 냄새
풍기는

그런 사람
사람 옆에

서고 싶다.

山寺에 앉아

주룩 주루 룩
철퍼덕
쏟아지는 빗소리
낙숫물 소리
세차게 부는 바람
쏴악 쏴아악
나뭇잎 부딪는 소리
세상의 소리를
보고 듣는다
마주 앉아서
보고 듣는다
저 너머 그곳은
어드메인고 대체.

할아비가 되던 날

고귀한 생명의 탄생은
엄숙하고 그렇게 장엄해라
잉태하는 그 순간부터 오늘
강보(襁褓)에 싸이던 날까지
박동(搏動)소리 쓰다듬어
애지중지 사랑 노래 부르며
280일 만의 고고(呱呱)는
새벽 여명(黎明)을 밝히었네

부모와 자식으로 인연되기란
억만 겁의 인연이라고 하는데
또랑또랑 빛나는 까만 눈동자에
어느새 산고(産苦)는 다 잊었나
이마에 송글, 송글 구슬진 땀방울
애, 많이 썼구나, 장하고 대견해라
엄마 되기가 그렇게 힘들었구나,
아기도 엄마를 보기가 그렇게나!

어미는 산후조리, 아기는 무럭무럭
모두 사랑한다. 아무렴 그렇고말고.

외할아버지 일기

2011. 8. 9. 03:49 −외할아버지 되던 날에−

추석 마당

마당엔 빨간
고추 멍석

엇걸어 세워 논
깻단이 쓰러질라

위에선 짱아가
뱅뱅 맴을 돈다.

추석! 추석!
밤 따는 장대 소리

후드득~후드득
밤 떨어지는 소리

바람만 불어도
툭~툭 후드득

추석 마당에는
행복이 구른다.

가을 고향

길가에 핀 코스모스
한들한들 손 흔들며
보는 이마다 반기네
맑고 푸른 가을 하늘
아득하기만 하여라

세상일은 묶어 둔 채
꽃을 마주하고 보니
고향 길 신작로에도
울긋불긋 코스모스
옛 친구들 그리워라.

해탈

양지 바른
섬돌 위에
굳어 버린
잠자리 놈

비상(飛翔)을 위해
좌탈입망(坐脫立亡)?
놀자던 고놈
어디로 가고...
억!!!

* 인적이 드문 양지 바른 절간 섬돌 위에 빨간 고추잠자리가 제법 크다. 한참을 지켜봐도 꼼짝을 않는다. 간혹 날갯짓이라도 할 법한데... 아니다. 제법 큰 날개를 양쪽으로 활짝 편 채 그대로다. 장난질이 발동해서일까 작은 나뭇가지로 쫓는 시늉을 해본다. 그런데도 빨간 잠자리는 미동도 없이 굳어있다. 그제서야, 아, 죽은 놈이구나! 하고 더 가까이 다가가서 살펴본다. 빨강, 검정의 눈이며 동자도 꼭 살아있는 것만 같다. 그리고 빨간 그 잠자리의 자태는 마치 금방이라도 허공을 향해 飛翔을 할 것 같은 자세다. 좌탈입망한 잠자리 한 놈이 얼마나 큰 가르침을 주었는가? 말과 글로 설명하려면 이미 하늘과 땅 차이만큼 멀어지고 만다.

옥룬

* 늦가을 어느 날, 어느 문학단체에서 '출판기념 및 詩낭송회'가 있었다. 뜸 들이며 설명 없이 낭송을 했다. 억! 하는 소리에 박수 소리가 터져 나왔다. 짧은 시 한 편에서 그들은 무엇을 느끼고 얻었을까?

몸뚱이 붙어있는 귀신일 때

몸뚱이 붙어있는 귀신일 때, 알아차려야
북망산 황천길 돌아갈 제 어화 상사디야,
큰 소리 콧노래로 얼른 갈 수 있으리니
살아 있는 귀신들 그러하지 아니하네

모든 걸 때가 되면 알게 되련만,
접어도 이젠 시원치 않을 판에
허욕이 눈을 가려 또 일을 벌리네
죄업이 무거우면 그 일도 쉽지 않은 것

대낮을 놓아두고 한밤중에 웬일인고
네 갈 길 아니 가고 대성통곡 어이 하누
가리키는 손가락은 달을 보지 못하고
중천에 달은 말없이 세상을 밝혀주네

지는 저 해와 달 다시 뜬다고 같을 쏜가
밤새껏 문풍지가 몸부림쳐 전하는 말
귓전에서 맴돌며 성화를 해 대네
몸뚱이 붙어있는 귀신일 때 잘 하라고!

똘망아!

하루 낮과 밤을 지새우고
어미에겐 사랑의 산통(産痛)을 주면서
세상에 얼굴을 내밀던
태명(胎名) 똘망아!
강보(襁褓)에 싸인 첫 눈맞춤에서
아~! 감탄이 저절로...

총명한 우리 아기야!
총기(聰氣)가 초롱한 눈동자
까만 눈동자 그 눈빛에서
사랑과 은혜로움, 자비로움과 행복
온전히 그 자체인 것을 보았지
똘망아, 우리 아기야,

너를 보기만 해도 행복하단다
지혜 복덕 구족(具足)하여
무럭무럭 예쁘게 자라거라
천지간에 오직 너 하나
사랑스러운 우리 똘망아
사랑스러운 우리 아기야.

세상여행 200일

귀엽고 사랑스러운 惠媛아!
초롱초롱한 너의 눈망울을 보노라면
세상엔 기쁨과 행복만이 있었구나
2012년 2월 24일 금요일 음력 2월 초사흘,
세상여행을 위해
엄마에게서 탯줄을 끊고 나온 지
200일이 되었구나
또랑또랑 까만 눈동자로
첫인사를 나눈 지가 엊그제 같은데
200일이 되는 오늘은 고깔모자에
축하 케익을 안은 채
엄마, 아빠, 할아버지 할머니 앞에서
갖은 재롱을 다 부리니
너무나도 사랑스럽고 귀엽구나
예쁘고 착하게 무럭무럭 자라나고
지혜와 복덕이 구족하여
걸음걸음 이르는 곳마다

향기로운 너의 자취가
선명하고 뚜렷하여지거라
惠媛아, 사랑하고 또 많이 사랑해.

* 2012년 2월 24일 (금) — 외할아버지가

청솔!

청솔(靑松)을 꺾어
꽂꽂이를 했으니,
험준한 산과 들이
옥내에 향기를 뿌렸네

침엽(針葉)일망정
낙엽(落葉) 않을 리 없건마는
고집스레 안으로
옮긴 뜻은 무엇인가

눈의 호화(豪華)를 누리고자
뼈를 깎았으니
쇠죽가마 아궁이가
천생연분이로다.

봄이 오는 소리

봄이 오는 소리가
들려옵니다
산골짜기에서
졸졸졸 돌돌돌
다람쥐가 손을 씻고
한 모금 마시고
또 한 모금 물고는
삭정이 가지 위로
치닫는 소리가
들려옵니다
다람쥐가 할딱입니다
조용히, 조용히
봄이 오는 소리가
들려옵니다.

봄비와 싹

산과 들에 촉촉이
비가 내립니다

얼었던 흙덩이를
힘겹게 쳐들고

삭정이 가지에서
뾰족이 내미는

어린 손 새싹
장하기도 하여라

반갑다 새싹아!
고맙다 봄비야!

꿈

터질 듯
꽃망울

삶의 지혜
확 트여

우리네
살림살이

극락이
여기로세

부처 보살
대중이

어우러져
행복하네.

외양간 비었으니

외양간 비었으니
농사를 어이할까
옛사람 탄식 소리
메아리처 들려오네
못된 놈의 소행이라

어젯밤 떨어진 빗방울
꽃 촉에 달려있네
아침 햇살에 영롱하니
하, 구슬이 보배로다
꽃 촉이 밀었던가

터질 듯한 꽃망울
삶의 지혜도 확 트여
우리네 살림살이
그만하면 행복하네
극락 천당이 여기로세.

광풍(狂風)의 역사

광풍(狂風)이 할퀴고 간 역사가
이다지 쓰리고 아픈데 그대는
무슨 미치광이길래 또 덮치는가

세파에 시달리고 뭇 인간에 시달려
악다문 입속에 이빨이 부서져도
차마 심중(心中)을 뱉지도 안 했건만...

적막강산에 '쓰나미'가 웬 말인가
양심도 의리(義理)도 헌신짝이던가
"내 건너간 놈 지팡이 내팽개치듯 한다."더니

인두겁 쓰고 그리 살지는 말아야지
입으론 수오지심(羞惡之心)을 외치더니
행동거지는 위선(僞善)의 극치로세

아, 저들이 옳았다는 것 이제야 알겠네.
천지신명과 후세에도 그렇게 고(告)하네
거짓과 위선의 역사를 바로잡아 쓰겠노라.

세 알씩만 심거라

청명(清明) 한식(寒食)이 다가오니
싸리 울타리에 산새 소리 높아진다
볍씨와 가지 씨를 자배기에 띄우고
남정네들 못자리 준비가 급해지네

농갓집 새아씨 첫 봄맞이에
조신, 조신 출랑, 출랑거리며
시어머니 뒤를 쫓아
텃밭에 호미질로 콩을 심는다

'어머님, 몇 알씩 심을까요?'
'응, 세 알씩만 심거라.'
'어머님, 두 알씩은 안 되나요.'
낭랑한 목소리가 귀엽기만 하다

'한 알은 하늘의 새가 먹고
또 한 알은 땅속의 벌레가 먹고
나머지 한 알은 사람이 먹는 거란다'
총명한 새아기 세상 이치를 다 알겠네

'살림살이 시작은 나눠주는 거란다.'

상춘(賞春)

눈부시게 만개(滿開)한 벚꽃
그대로 즐길 수만 있다면
유유자적 여유로워라
봄날은 또 그렇게 가는가

멍하니 바라보는 시선이 뗇다
상춘, 아쉽다 야속타 한들
가는 봄 잡을 이 누구인가
그냥 함께 가는 것일 뿐

깊은 밤중에 옛 늙은이
다정(多情)을 병통(病痛)으로
잠을 이루지 못했다는데
그 병(病) 독(毒)한 줄을
나도야 알겠구나

어찌하여 병통이 다정뿐이랴
세상사 모두가 그러한 것을
꿈속에서 노닐던 봄날은 가고
어느 결 발치에는 꽃잎만 쌓였네.

* 위 작품은 (사)한국문인협회가 발행하는 『월간문학』 2012년 8월호
  (78쪽)에 게재된 詩입니다.

피고 지고

6월에
시든 장미

옆에
활짝 핀
백합이
향기를 날린다

피고 지고
피고 지고
사람도
피고 지고

어젯밤에
지고
아침에
피어나니

피고 지고
피고 지고
한 세상
피고 지고...

탐욕(貪慾)과 빈곤(貧困)

탐욕(貪慾)은 부끄러우나
빈곤(貧困)은 부끄럽지 않다
탐욕은 조상을 욕보이고
자손에게도 수치스러울 뿐이다

탐욕은 거짓으로 위장하지만
진실 앞엔 마각(馬脚)이 드러난다
탐욕은 패가망신을 부르지만
가난은 근면과 덕을 부른다

탐욕은 반드시 배신하지만
가난은 감사할 줄 안다
탐욕은 의(義)를 상하게 하지만
가난은 의(義)를 돌아보게 한다

탐욕자는 수오지심을 외치지만
행동거지는 위선의 극치이다
탐욕은 금생의 악업(惡業)이요
가난은 내생의 선업(善業)이다.

낮빤대기

낮빤대기 곤추들고
드러누워 침을 뱉을까
허니, 하~아 !
시방(十方) 어느 틈에
빛이 드리울까?
거꾸로 매달린
추녀 밑 고드름
방울방울 낙수되어
산산이 부서지네

오두방정 떨어 봐도
해 떨어질 쯤이면
인생이란 그렇게
그저 그런 거라고
삶이란 이름에서
죽음이란 토를 달고
변해 가는 것
알 수 없는 까닭에
눈을 뜨고 감지 못하네.

장승(長生)처럼 서있는

장승(長生)처럼 서있는
너는 누구냐?
찾아온 객(客)이라면
기척이나 할 것이지

꽃대는 뉘를 위함인가
방향(芳香)은 또 어이인고
달빛에 눈부시니
주안상(酒案床) 마주할까

그대가 벗이 될 양이면
밤을 새워 읊조리리
달과 별 구름을 쫓아서
허허 풍류객이나 되리라.

* 한가한 사람에게 봄은 그렇게 장승(長生)처럼 왔노라.

물푸레나무

사랑채 뒤편에 물푸레나무 컸었지
오늘처럼 펑펑 함박눈이 내리던 날
조선낫질로 너댓 번을 조겨대면
곡팽이 도끼 자루감이 훌륭해라

쇠죽가마 아궁이에 불을 지피고
담뱃대를 입에 문 채 능숙한 솜씨로
깎고 다듬어 불 속에 그을린 후
쇠죽가마 속에 쑤욱 넣었다 빼낸다

연거푸 헛기침을 하시면서
짚수세미로 검댕이를 훑어내시던
아득한 그 시절 당신이 그립습니다
무지렁이 된 물푸레나무 등걸에는

오늘도 그날처럼 함박눈이 쌓입니다.

눈 속에 새긴 사랑

두 돌이 되려면 아직도
6개월이나 남은 아기 외손녀가
감정 표현을 이렇게 하네요.
"할아버지, 할머니 이제 갈께
맘마 많이 먹고 엄마랑 아빠랑
코~ 잘 자요 !" 했더니
"으~ㅇ 으응~ "고개를 좌우로
설레설레 내저으며
할머니 할아버지를 못 가게
옷소매를 잡아당기네요
하는 수 없이 조금 더 앉았다가
"이제 할아버지 할머니 가도 되죠?"
아기 외손녀는 역시 막무가내입니다
한참을 더 놀아주고 나서
할아버지가 아기 외손녀에게
"할머니 빠이, 빠이 해야죠?" 했더니
더 이상 안 되는 걸 알아서일까요

이번에는 체념이라도 한 듯이
아예 딴전을 부리면서
이름을 불러도 시선을 주지도 않고
고개를 떨구운 채, 손은 흔들어 주지만
아기 외손녀의 아쉬워하는 표정이
몹시도 역력해 보였습니다
돌아오는 길에 외손녀의 그 모습이
눈앞에서 영영 지워지질 않네요
아직 말은 못하지만 아기 외손녀는
할머니 할아버지와 무엇이든
이렇게 모두 소통을 합니다
사랑스러워라. 사랑스러워라.

* 2013. 2. 6. 548일째

사랑스런 혜원아!

건강하고
총명하게
무럭무럭
예쁘게 자라서
부모님께 효도하고

모든 이들로부터
사랑 받는
이 세상에
귀한 사람이
되거라.

*2013년 2. 10 설날에 외할아버지 외할머니가

춘분(春分)!

춘분(春分),
해가 고른 날,
저만치 바라보니
완연한 봄 색이라.
웅크림은 아직인데
저리도 능청스레
시절만 앞서는가?

죽은 듯 삭정이에
싹이 돋고 새소리
물소리 구르는데
하, 세월에
풍류객 되어
좋은 임 만나
풍월(風月)을 할까?

설운 게 이별이 아닙니다

이별이 다 설운 게 아닙니다
부는 바람에 삭정이 떨어 울고
까만 밤에 홀로 숨소리 죽이며
싸늘한 등짝만 뒤척일 적에
저기 먼 세상 사람들 아득해라
그리운 이별은 설운 게 아닙니다

가슴이 싸늘한 이별이 섧습니다
설운 것이 다 이별이 아닙니다
가슴에 박힌 돌이 더 섧습니다
아~ 왜 이다지도 밤은 긴가
차라리 밝기 전에 아침을 향해
임 마중 하려 새벽길 떠나리라.

당신은 나의 부처

당신은 나의 영원한 부처입니다
언제나 변함없이 미소를 지으며

말없이 길을 인도해 줍니다
사시사철 올 때도 갈 때도

그렇게 소리 없는 분명한 말로...
당신은 나(我)이고 부처입니다

희로애락을 모두 끌어안아
다 녹여 아름다운 큰 미소로

당신은 영원한 나의 부처입니다.

여보게!

여보게!

왜, 그래?

아, 그 어디어디에 누가 떠났데.

어디로 갔데?

모르지...

떠난 건 맞아?

아, 안 보이잖아.

나는 잘 보이는가?

아, 그렇군!

여름날의 풍경

폭염에 산색(山色)은 죽어가고
이리 휘청휘청 저리 휘청휘청
까치집이 바람에 곡예를 하는데

먹이를 물고 온 어미 새는
주위를 맴돌다 잽싸게 착지하여
새끼들에게 차례대로 먹여주네

혹서에 살림살이 푸념은 늘어지고
매미 소리만 바람 타고 날아가니
기나긴 여름날의 풍경이 애석하다.

시방에 두루 하신 부처님

시방에 두루 하신 부처님
옛날에도 부처님이 계셨고
오늘날에도 부처님이 계시고
영원한 미래에도 부처님은
시방삼세에 두루 하시네

옛 부처님으로부터 生死를 알았고
오늘의 부처님에게서 탐, 진, 치 삼독을 알았으며
미래 부처님에게서는 空과 無常을 알았네

옛 조상 부처님은 생, 노, 병, 사로 무상을 가르쳤고
오늘의 아내 부처, 자식 부처, 이웃 부처님에게서는
탐욕과, 성내고, 어리석음으로 生滅을 터득하였고
미래세 부처, 아기 부처에게서는
무수히 평화와 희망을 서원케 하네.

아, 우주에 어찌 인간 부처일 뿐이랴
삼라만상이 부처 아닌 것이 없어라
시방엔 부처님이 두루 하시네.

오늘은 커피를 끓이고 싶다

보글보글 김을 내며
주전자에 물이 끓는다
커피와 설탕을 찻잔에
알맞게 떠 넣는다
사랑하는 당신 꺼 하나
또 하나는 나의 것

구수한 커피의 향기는
그윽이 농익은
당신과 나의 향기
우리는 향기에 빠지고
포근한 정담에 녹아든다

오늘은 커피를 끓이고 싶다
사랑하는 당신 꺼 하나
또 한 잔은 나의 것을!

광장시장

담벼락 너머로 얼굴을 마주하고
수다를 떠는 22호 댁과 39호 댁
장사는 똑같은 비빔밥이다
수북수북 탐스럽게 쌓아놓은
먹음직스러운 나물들이
기웃기웃 길 가던 손님을 부른다

상추에 콩나물 부추에 무나물
고사리에 돌나물 시래기에 열무
무럭무럭 김이 구수한 시래기 된장국
바람 불어 추운 날에도
따끈따끈 긴 의자에 엉덩짝을 붙여 대고
노소 남녀를 가릴 건가

양푼에 쌀 보리밥 고추장 된장 넣었겠다
숟가락으로 비벼대니 허기진 입이 재촉하네
이보다 더 좋은 꿀맛이 있었던가?
'밥이 적으면 더 드세유'
값은 오천 원인데 인심은 오만 양일세
사람 사는 맛이 예서 나누나

간간이 담 너머로 또 시시덕거린다.

교대 역(驛)

2호선 교대 역이 친근하다
올 때도 갈 때도 갈아 탈 때도
그곳엔
어머니에 대한 향수가 있다

'가을 어머니'의
깨 터는 소리가 들린다
하얀 수건을 쓰고 키질하는
어머니 모습이 보인다

'가을 어머니'
액자 하나 걸려 있다
오가는 이들 멈춰 선다

먼 산 한 번 쳐다보며 간다.

아내의 친구

동네에서 만난 아내의 친구
이리저리 집을 옮겨 다녀
돌고 돌아도 그 동네를 못 떠나네
아들 딸 시집 장가보내도록
동네 어머니 친구들은 해묵은 장맛

요즘 신세대 엄마들은 조리원의 친구들
퇴원 후 50일쯤 되면 문자 메시지
카스나 카톡으로 사진 주고받기 쉬워라
일주일에 한두 번 문화센터에서 만나고
승용차에 태우고 백화점에서 만난다

오늘은 이 친구네 내일은 저 친구네로.

가을 들녘

황금빛 가을 들녘
여기저기 검은 바닥이
드러나 보인다
파란 배추와 무 잎을 보면
구수한 옛날 그 맛
어머님이 끓여 주셨던
배춧국 냄새가 허기를 부른다
얼큰한 고추의 익은 맛까지

검은 연기가 모락모락
석양빛에 춤을 추고
어서 집에 가면
맛있게 저녁을 먹겠지
세상사에 속고 속아
맥이 빠진 하루지만
오늘도 그러 그렇게 살았으니
이보다 큰 보람 또 어디 있을까.

할머니는 왜, 전화가 없어요?

이제 말을 곧잘 구사하는 아기 외손녀가
전화가 없는 외할머니에게
"할머니는 왜 전화가 없어요?"한다
"응, 할머니는 전화 없어도 돼." 했더니

오늘, 아기 외손녀는
전화가 없는 외할머니에게
전화를 사 주겠다며 약속을 했습니다

아기 외손녀는 가방 속에서 종이카드를 꺼내 주며
아주 당당하게 말을 합니다
"할머니, 이걸로 사"라고 합니다

눈물 나게 고마운 외손녀를 끌어안고
어찌할 바를 모르는 외할머니!
"어이구, 그래, 내 새끼 우리 아가야, 사랑한다.
전화는 없어도 된단다.
고마워라 내 새끼, 어이구 내 새끼, 사랑해."

봄을 기다리며

모두들 그렇게 살아왔다
발 동동 구르며
추위와 맞대결하면서
귀가 떨어져 나갈 듯 칼바람 세차도
견디며 왔다

키 큰 나무들 우뚝 서 있기에
눈가엔 얼음물이 흐르고
입가에 서리 맺혀도
헉헉 숨으로 녹이며
아직도 여기 살아 있기에.

해 떨어질라

해 떨어질라
부지런히 하거라
옛말이 아닌데
요즘 잘 쓰지 않더라

하루하루 해가 떨어지고
떨어지고 또 떨어져
삼백예순날 동안 떨어져
한 해가 저문다는데

해는 병도 없고 늙지도 않네
어젯밤 풍한 설에도 다시
방긋이 새날 새 아침에는
거침이 없어라.

물총놀이

할머니 할아버지를
유난히도 잘 따르는
다섯 살 박이 외손녀
외손녀의 재롱과 어울리다 보면
어느새 시름마저 설거지를 한다

어미가 사다 준 물총은
등에 멜 수 있는 가방 형이다
드디어 외손녀 장난기가 발동해
할아버지 할머니에게
물세례로 공격을 한다

손사래 치며 놀라는 할아버지를 보고
깔깔대며 신나서 재밌어 한다
방패를 준비해야 할 것 같다
오늘도 30도의 여름날이다

옷은 흠뻑 다 젖었어도
까르르 신이 나서 좋아하는
외손녀와의 물총놀이는
어느 날의 추억으로 새겨질까?

줄탁동시(啐啄同時)

모든 일에는 때가 있다고 하지요
'매사 유시(每事 有時)'라

그런데 한 치의 어긋남도 없이
딱 맞아떨어져 마치 쏜 화살이
과녁의 정중앙을 적중(的中)하듯이

밖에서는 어미가 품고 있던 알을 쪼고
안에서는 새로운 생명체인 병아리가
세상 밖으로 나오려고
서로 마주 주둥이질을 하며
부화하는 순간을 가리키지요

이와 같은 경우를 '줄탁동시'라고 하는데
불가(佛家)에서는 선지식과의 만남으로
'깨달음'에 이르는 경우를 비유합니다.

그날

고무신 신고 찰박찰박 그날도
신작로에는 장맛비가 내리고 있었지

물안개가 한바탕 구름과 춤을 추며
선녀의 옷자락을 시기하던 날

마당 전에는 빨강, 분홍에
하양 코스모스도 같이 춤을 추던 날

가운데 솥 부뚜막에 한 발 걸쳐 올려놓고
아궁이에 밀짚 태워 수제비를 띄우시던 어머니

오늘이 그날 초복(初伏)이네요
고무 물통 속에 수박 한 덩어리 그림 같고

소당 질 기름내가 코 전에서 맴도는데
이제 고향은 마음속에만 있네요.

159

왜, 의성(醫聖)인가

'난세에 영웅 난다.'는 말은 들어 왔다
돌이켜 역사의 아픔을 뉘에게 탓하랴
보배를 보배로 여기지 않았던 아픔들
400여 성상이 흘렀어도 조정은 여전히
정신 못 차린 탐관오리들의 멍석일 뿐

아! 인간의 존엄이 오직 생명인 것을
일찍이도 동방에 허준 선생께서는
생각한 바 없이 당연하다는 듯이 몸소
험한 길 일생 동안 아니 다니신 곳 없으시니
사람아, 정녕코 할 일이란 무엇이던가?

말과 글 이전에 닦을 것이 심성이니
죽어가는 백성들을 긍휼히 여기시고
갖은 고초와 수난을 헤쳐 나오신 분
후세에 보감으로 『동의보감』 주셨으니
그래서 오직 聖人, 의성(醫聖)이십니다.

눈 덮인 산

눈 덮인 산, 흐르던 물소리
멎은 지 오래잖아 귓전에 맴 돌고
둥지 잃은 산새들 옹기종기 모여앉아
날갯짓하더니 이내 지쳤는가?

툭툭 여기저기 힘겨워 철퍼덕
쌓인 눈이 미끄러지듯 떨어지고
놀란 산새들은 푸드득
어디로 갔는지 자취 없어라

높은 산마루에 홀로 앉아 보니
온 세상을 통 채로 깔고 앉은 듯....
쳐다보니 흰 구름 한 조각이 키득 비웃네
눈 덮인 산 구름 속에 바보처럼 내가 있었네.

개화사(開華寺)

옛날, 그 시절이나 지금이나
다른 도리(道理)가 무엇이던가?
개화산 중 인적이 드문 때에도
佛, 法, 僧, 삼보(三寶)에 귀의하여
뜻을 세운 선지식(善知識)!

상구보리(上求菩提)
하화중생(下化衆生)
어제도 오늘도 끊임없이 이어지네
사람이 사는 곳에 절(寺)이 있어
첩첩산중에도 연기가 피어오르네.

축대 위에 대웅전, 요사채가 완연하고
목탁소리, 염불소리 귓전에서 맴돌아
성불하세, 성불, 우리 모두 성불하세!
한강에 돛단배 유유자적하니
백성들 또한 태평성세로세.

* 위 詩는 겸재 선생이 양천현아에 있을 때 그린 산수화 "개화사(開花寺)"를 보고 작시함. 그림에는 開花寺로 표기하였으나 현재는 開華寺의 명칭으로 실재하고 있으며, 약사사, 미타사 등 3개 사찰이 있음.
* 開火山 ---〉 開花山 (예전에 봉수대가 있었다고 하여 '불화 자'를 썼었을 것이란 추측도 있지만 별 의미가 없음.

손녀의 주장자(主杖子)

눈, 귀, 코, 입
이목구비가 또렷한
만 다섯 살 손녀를 보고만 있어도
시간 가는 줄 모른다

발치(拔齒)를 하고 온 손녀에게
안쓰러운 할머니가
"많이 아팠지? 얼마나 아팠어?"하니까
이렇게 명답을 하더란다

손녀가 할머니한테 오더니
"할머니!" 하고 크게 부르더니
어린 손으로 할머니 이마를
탁, 한번 치고는 말더라는 것이었다

역시, 내 손녀가 똑똑하군!

할머니와 엄청난 선문답(禪問答)을 했군!

말로는 설명할 수도, 해서도 모르지....

옳지, 주장자는 그렇게 쓰는 거란다.

손녀의 주장자(主杖子)

* 주장자(杜杖子) : 좌선할 때, 또는 설법할 때 쓰는 지팡이 같은 것

正月 대보름 전날

正月 열 나흗날,
집집마다 나물 볶는 고소한 냄새가 온 동네를 진동합
니다.
아낙들이 동동걸음 치며 들락거립니다.
오곡밥에 아홉 가지 나물을 해서 이웃과 서로 나누어
먹는 아름다운 우리 민족의 풍속이 전해오고 있지요.
방마다 광마다 외양간에도 화장실에도 기름 등잔불을
밝히기도 하고,
보름날 아침 일찍 누구엔가는 '더위'를 팔기도 한답니다.
'귀밝이술'이라고 어른들께서 맑은 술 한 잔씩을 줍니다.

가래떡을 김에 싸서 먹으면 꿀맛이지요.
장정들은 아홉 짐의 땔나무를 해서 부지런함과
땔감을 미리미리 풍족하게 준비하는 良俗도 있고요.
대보름달이 떠오르는 걸 누구보다 먼저 보겠다고 높은
산으로 갑니다.

나이 숫자대로 띠를 묶은 달 짚을 태우며 소원을 빕니다.
개구쟁이들 쥐불놀이 벌판으로 내닫고 멍멍 개도 같이
뛰고….
잣불을 켜서 가족들의 건강과 행운을 가늠하며 기원하
기도 합니다.

모처럼 호두, 잣, 밤, 땅콩 등으로 부럼을 깨먹으며
치아 건강 영양도 챙깁니다. 사찰에서는 오늘을 맞춰
'합동천도재'를 회향하는 곳들이 많이 있을 것입니다.
기축년 정월 대보름 가족과 함께 행복하게 보내십시오.

開華寺 예참(禮懺)

딱, 딱, 딱, 죽비(竹箆) 소리에 팔만사천 구멍이 열린다
선남선녀 법우(法友)들이 일심으로 지심귀명례
일 배, 일 배, 또 일 배...至心歸命禮,
108배, 600배토록
시방삼세 佛菩薩님 前, 참회의 예를 올리나니 두루 살
펴 감응하여 주옵소서.

삼복더위에 소낙비 주룩주룩 잘도 쏟네, 山寺의 추녀
에도!
이마의 낙숫물은 빗물이 아니로세, 팔만사천 업장의
씻김일세.
지심귀명례, 본사 서가모니불, 아일다보살, 관세음보
살...
팔만사천 열린 구멍이 모두 보고 모두 듣네,
대원본존 지장보살 마하살.

향 내음 법계에 띄우고, 꽃향기 그윽하니 환희심 가득
해라
내 안에 부처여, 관음이여, 지장이여, 오로지 지심귀
명례 뿐!
빈집의 살림살이 오롯이 이끌어 마음 바다 깊고 깊은
곳에 깨달음의 씨앗으로 가득하니, 쓰고 또 쓸 뿐, 줄
지를 아니하네.
대장부의 할 일은 이것뿐이로세.

코스모스 연인

이른 새벽 아침이 밝아오면
신작로에 흙먼지 일으키며
통학버스는 달린다

차창 너머 눈길이 멈추는 곳에
영락없이 버스는 멈추고
백옥 같이 흰 칼라의
교복을 입은 여고생이
깡충 버스에 오른다

상기된 얼굴에 눈이 마주치고~~
눈인사로 마음 전했을까

어느새 아득함이여!
그리움 한 점을
푸른 가을 하늘에 수놓아 봅니다.

허공(虛空) 밖에서

어둠 속에서 만나는 한 줄기 빛은
찰나에 대광명이요, 희망이다
온갖 시름과 두려움이 일시에 사윈다
어둠은 어리석음이 만든 삶의 고뇌

텅 빈 듯 허공은 우주를 감싸고
그 속에서 다시 허공을 노래하고
걸림 없는 바람은 허공 밖에서 노네
그러나 누가 허공의 안팎을 말하랴

욕심 부려 온갖 것 다 가지려 해도
허공 속에 내 것이라곤 아무 것도 없어
오직, 들이고 버리고 하는 무소유일 뿐
진정한 무소유란 허공 밖에서의 일일세.

171

달팽이

달팽이의 삶을 살펴본다
죽은 듯이 있어 한참을 들여다봐도
'나는 죽었다.'하고 꼼짝을 하지 않는다
삶의 방식이다

인내심을 가지고 지켜본다
드디어 주위가 조용히 감지가 됐나 보다
촉수를 내밀어 상추 잎 위를 기어간다
이리저리 아주 조심하면서...

느린 것 같지만
등껍질을 잔뜩 짊어진 채로
달팽이에겐 그것이 얼마나 빠른 것인가
오늘 나도 달팽이처럼 얼마나 빠른가 말이다.

달팽이

산나리

휘적휘적
호젓한 산길 오르는데

활짝 핀 노란
산나리 꽃 한 송이

바람결에 산들산들
반갑다며 인사하네

나리야,
그렇게 너도 외로웠구나

곱고도
우아한 너의 모습에

굳은 발걸음을
떼지 못하고

멍하니 바라만
보고 있단다.

더 무엇을 찾는가

산에는 오색 단풍
계곡에는 맑은 물소리

다람쥐 한 쌍이
술래잡기를 한다

바라보고 서 있는 이도
그와 똑같은데─

말없이 걸음을 옮긴다
바위도 노송을 세워 함께 따른다

천지를 돌아보니
휘~ 바람 한번 청량하구나.

창공(蒼空)

누가 '꽃길만 걷자'고 했던가? 바보!
그 길 항상 있었는데
혼자만 아니라고 투덜거렸지... 바보!

그 길은 미세먼지, 황사도
아무 상관없는 길인데
아직도 서성거리고 있는가?

고개 들어 창공이나 바라보게
지금 바보처럼 가는 길이
노래하던 꽃길이라네.

2019. 月刊文學 8월(606) 호에 발표됨

지나면서 한 말씀

인간의 가장 기본적인 일상의 생활이
세안(洗顏), 세수(洗手), 세족(洗足)이다.
부처님 말씀의 經典 중에 유명한 금강경이 있다.
처음에 나오는 구절 중에 '洗足'이란 말이 있다.
맨발로 걸어서 탁발과 수행을 하셨지만
본처에 오시면 반드시 세족을 하셨다는 말씀이다.
세족에 곁들인 요즘 말로 '마사지'는 당연히 따르게 되
므로
신체 건강의 우선을 교시하고 있음을 알 수가 있다.
동시에 가부좌를 하고 앉으심은 무엇인가?
바로 세심(洗心)이다.
先覺者의 대답은 여기서 끝이다.

176

지나면서 한 말씀

나의 주장자(柱杖子)

나의 주장자(柱杖子)여,
어디를 향해 쓸 것인가

지팡이로 쓸 양이었다면
예전에 내던져 버렸을 것이다

아직도 팔팔하게 살아 있는
나의 주장자여,

가리키는 곳이 분명하고 분명토다
오직 여기 하나에 있다.

번개보다 빠르니 천둥은
한참 뒤에나 오려는지.

177

안개 꽃

새벽녘의 안개를
매우 아름답게 보았던 시절이 있었지
그것은 바로
아름다운 세상이 펼쳐지는 걸 알기에

시절 인연일까
요즘 안개는 끝이 뵈질 않네
아마도
아름다운 눈과 마음이 사라진 것인가?

맑고 밝은
눈과 마음이라야 세상은 그렇게 보인다
또, 그렇게 만들어 진다
안개 꽃 뒤에 오는 찬란한 세상.

내세(來世)

내세(來世)에 살면서
우매하니 내세를 빌고 또 빈다
찰나(刹那) 찰나가 다음 생(生)인 것을!

지금 이 순간이 바로 내세일세
극락, 천당 지옥이 바로 여기일세
눈 뜨고, 숨 한번 바르게 쉬어보세

四大가 무너져도 서러워 말게나
허깨비 같은 거 말고 오직 하나 있으니
오매불망(寤寐不忘) 삼매로 지혜의 문 해탈하세.

잎의 향기

꽃의 향기는
싱싱하게 살아 있을 때
진가를 보여 매혹된다

그 매혹적인 향기를
무엇으로 가둬 둘까?
그런 바보 같은 생각이 든다

잎과 줄기의 향기는
한 백 년쯤 뒤에야 마침내
향기의 진수를 보인단다

어제 마신 그 차(茶)는
덖어진 지 70년쯤 되었다는데
좀과 빛깔이 황홀지경이로세

잎사귀와 어린 줄기의 향
그리고 그 맛을 어찌 말로?
그러므로 귀한 인연이로세.

辛丑년 새해가 밝았다

새로운 각오가 있다면,
'더 열심히 사는 것'이다.

소망이 있다면
'인연 있는 사람들과의 평화로움'이다.

인생은 너털웃음 한 번
크게 웃을 수 있을 때가 정점이다.

그 다음은 열심히 사는 일뿐이다.

서설(瑞雪)

2013년 1월 1일, 대망(大望)의 새 아침이 밝은 날,
온천지는 서설로 뒤덮였다.

어느 누가 그렇게도 정성껏 순백(純白)의 백설을 깔았
을까?

어느 누가 평등(平等)의 원리를 저렇게도 쉽게 가르쳤
단 말인가?

나뭇가지에도 자동차에도 화단에도 지붕에도 교회, 성
당, 절간에도 산에도 들에도... 온통 하얀 스케치북을
펼쳐 놓았다.

이제부터 새로운 그림을 그리게 한 것이다. 누구나 생
각하고 구상한 대로 그리기만 하면 된다. 꿈을 실현하
기 위해 갖가지 색깔을 칠해가며 멋진 그림을 그리게
될 것이다. 그렇지만 눈은 언제까지 그대로 있지 않는
다. 눈이 다 녹아내리기 전에 멋진 한 폭의 그림을 그
려야만 한다. 경쟁이다. 강박 관념에 시달리기도 한
다. 그러나 이것이 평등이다.

백설을 깔아놓은 이유이기도 하다.

인간은 평등한 가운데 치열한 경쟁 속에서 앞다투어 삶을 영위한다.

금수(禽獸)처럼 치열하지만 지혜로움이 있어 멈출 줄을 안다.

즉 이성과 윤리 도덕에 따른 교육이 있기 때문이다. 위기에 서로 도움을 주고받을 줄도 안다. 이제 우리는 선거를 통해 새로운 대통령을 선출하고 기대와 희망에 부풀어 있다. 다 같이 서설을 맞아 백지 위에 국가적 새로운 그림을 그리며, 온 국민이 함께 지혜로운 이성과 윤리 도덕으로 함께 행복의 길로 나아가는 출발점에 서있다. 선의의 경쟁으로 세계 인류의 평화와 복지를 향해 안과 밖으로 매진해야 할 것이다.

요즘엔 말이죠

요즘엔 말이죠. 정말 많이 달라졌습니다.

60대와 20대가 마주 앉아 주거니 받거니 얘길 하다 보면 깜짝 놀라는 경우가 더러 생기거든요.

60대 이상 되신 분들께서 읽으신 동화책의 '개미와 베짱이'를 例를 들면 말씀이죠,

아니, 도대체 어쩌다가 젊은이들 사고의 방향이 이렇게 바뀌었을까? 하고 놀라실 겁니다. 대체 언제부터……

우리는 어렸을 적에 근면과 태만을 대조(비교)적으로 하여 어르신들로부터 배웠습니다. 말없이 부지런히 한철 내내 땀 흘려 일을 해온 개미는 꽁꽁 얼어붙은 혹한기(酷寒期)에도 남부럽지 않게 따뜻하게 겨울을 날 수가 있었지요. 반면에 덜렁덜렁 노래하고 놀기만 좋아하는 한량(閑良) 베짱이는 뭐 해놓은 게 있던가요? 고생바가지일 수밖에 없겠지요. 여기까지가 우리가 배워온 인생살이 이치였습니다.

요즘엔 뭐라 하냐고요? 코미디가 아닙니다. 일 년 내내 열심히 일을 한 개미는 「허리 디스크에 걸려서 말년에 죽도록 고생만 한다.」
그런데 노래만 하던 한량 베짱이는 「일류 가수가 돼서 매니저를 대동하여 방방곡곡을 돌며 대박을 터뜨린다」 나요?

이게 요즘 '청년 지도사'로부터 실토된 얘기랍니다.
문학에 열정을 쏟고 계신 전국의 작가 분들이시여, 후학들의 광영(光榮)을 위해서 진정 귀감(龜鑑)이 될 수 있는 필봉(筆鋒)의 막강한 힘을 발휘해 주실 것을 감히 간곡히 청하옵니다.

조이는 요즘

丈人어른 古稀에 부쳐

돌이켜 20여 년 전, 당신의 모습을 回想하면서 오늘의 당신을 그려 봅니다. 늘 깔끔하시고 근엄하신 당신 앞에서 감히 사위가 되겠노라고 그것도 맏사위가 되겠노라고... 그때 당신께선 몇 점을 주셨습니까?

그렇게, 그렇게 어언 20여 星霜이 흘렀건만, 반듯하게 자식 도리 한번 못한 채로 어느새 당신께선 古稀를 맞으셨습니다.

슬하에 五男妹 한결같이 잘되기를 밤낮으로 念願하시더니 이젠 친외 손자 손녀 재롱에, 軍에 간 막내둥이 생각에 당신이 고달파도 하루하루를 까마득히 잊으시며 당신의 그 자리 그 모습을 준엄히 간직해 오셨습니다.

사위를 '百年손님'이라 하셨습니까?
당신의 맏사위 고개 숙여 당신의 뜻 깊이깊이 헤아려 봅니다.

오순도순 우애 있고 사랑하며, 지극히 功德지어 마음
부자 되어지면
온 세상 모두가 극락, 천당 되어짐을...!

어른이시여! 염려 마시옵소서, 짐을 벗으시옵소서.
오늘 같이 좋은 날, 흔쾌히 祝盃를 드시옵소서.
부디 만수무강 하옵소서.

1994년 10월 15일　ㅡ큰사위 拜禮

187

伯父님의 臨終

先親의 臨終은
못 지켰느니라
어린 맘에
그리도 罪스러웠던가
1967년,
그해 섣달 스무 여드렛날
칠흑같이 어두운 밤
거둠의 숨소리
휘몰아치는 태풍이
그러하던가?
깜빡 깜빡
등잔불은 졸고
무엇이
그렇게 부르던가!
무섭기는
옆도 돌아보지 못할 제
伯父님의 희고 긴
수염의 마지막 춤은
그렇게 멎었네...

저울질하기

오래 쓰다 보면 낡게 마련이다.
손때가 묻고 정이 들어
버리지 못하는 것들이 있다.

그런데 이 몸뚱이는 어찌할꼬?
낡은 상태를 얼마큼이나
파악하고 사는가 말이다.

정확한 기준이 있다. 그 대답은 바로 지금이다.
자신을 지금 저울질해 보면 알게 된다.
허망하고 부질없는 짓 하지 말고....

백미(白眉)

"흰 눈썹이라는 뜻으로,
여럿 중에서 가장 뛰어난
사람이나 사물을
비유적으로 이르는 말이다"

사전적 의미로는 그렇다
두각을 나타내는 것을 말한다
그래서일까 나의 흰 눈썹 중의
하나는 유난히 빨리 길게 자란다

자랑할 게 뭐 있다고...
한 달에 한 번씩
미용실에서 다듬어 주어도
백미(白眉) 한 가닥이 유난을 떤다

세월이 품격을 지어 주듯
빛나는 노년의 훈장이듯
어김없이 내리는 된서리
여명(黎明)은 그렇게 오는 것.

그거나 그거지

무량한
마음 계곡에서
무엇인가를 끄집어낸다

무거운 듯
가볍기 또한
헤아릴 수가 없네

그 모양을
긁적이며 그려 본다
詩 한 수다

눈 뜨고
감을 때마다
비췄다 꺼지는 광명의 빛

찰나에 오가는데
나고 죽음을 분별하랴
그거나 그거지.

쇠똥 밭에 꽃이 피고 나비가 나네

초판발행일	2021년 5월 19일
시인	인봉 조남선
펴낸곳	도서출판 도반
펴낸이	김광호
편집	이상미, 최명숙
대표전화	031-465-1285
이메일	dobanbooks@naver.com
홈페이지	http://dobanbooks.co.kr
주소	경기도 안양시 만안구 안양로 332번길 32